代號：毛公行動

圖◎25度
文◎王文華

楔子——

最強機關王

「噓——」

十個孩子，二十隻眼睛，全都安安靜靜，全神貫注。

他們趴在跑道邊，盯著校狗馬力精。

馬力精慢慢的接近彩色小皮球，牠正想咬小皮球時，有個孩子興奮的想大叫，旁

邊同學趕緊比個「噓」，意思是：「不要笑，不要動，」更不要出聲。

馬力精放心了，牠用眼神告訴這些孩子：我不傻。

牠靈巧的躍過皮球，輕輕落在另一頭，四周同時爆起一陣歡呼。

「踩到了。」

「馬力精踩到了。」

那些小朋友跳起來，啊——他們是可能小學的小朋友。

「我踩到什麼？」馬力精好像在問。

來不及了，馬力精落下的地方有個強力彈簧，咚，彈簧一彈，牠飛上陽臺上的竹籃。

滑輪轉動，竹籃搖搖晃晃向前，經過花圃時，割草機喀啦啦啦啦響了；接著竹籃越

過水池，噴泉開始旋轉了，喇叭跟著響起音樂，是歡樂頌的曲子。

孩子們跟著竹籃，一路奔跑。跑過音樂教室時，窗簾自動拉開，合唱團的孩子也出來了。竹籃滑過升旗臺上空，可能小學校旗突然降了下來，一面黑色海盜旗升起。

「汪汪！」，馬力精叫了兩聲，孩子們安慰牠：「別擔心，就快到了。」

竹籃滑到禮堂前，咚，竹籃撞倒骨牌，骨牌嘩啦啦倒向玩具小火車，「嘟嘟嘟——」，小火車動了，嘟嘟嘟，小火車來到禮堂露臺，

點燃火箭，咻的一聲，火箭飛上天。

「就這樣？」

「不會只有這樣吧？」

四周安安靜靜。

砰的一聲，火箭射中屋頂，嘩的一聲，一張特長海報展開……

「啊……」海報才展開一半，卡住了。

「又壞了。」孩子們發出一聲嘆息。

「機關王，機關又壞了！」可能小學的孩子喊著。

機關王是可能小學新來的「超異全人科」老師，設計闖關遊戲是他的拿手好戲，今天的「校狗通關」活動，也是他的傑作。

或許你會問，什麼是超異全人科？小學哪有這種科目？

這堂課，是最新的課程，打破以往科目的界限，它融合了科學、闖關、藝術、人文等等的嶄新內容，這堂課簡稱超人科，全世界，喔不，甚至是全宇宙目前只有可能小學才有喔。

而現在，機關王爬上屋頂，拉拉繩子：「一定有辦法解決的。」

「嘩——」

五層樓高的大海報，在金色夕陽中全部展開。

「第一屆可能小學密室逃脫大賽即將開始，歡迎來報名。」

機關王跑下來，像個王子展開雙臂：「小朋友們，趕快來報名，

保證好玩喔！」

還沒說完，咻的一聲，大海報又掉下來。咚的一聲，落到機關王頭上，海報太長了，還把他全身包了起來。

「哈哈哈。」孩子們笑了，馬力精也叫了。

「機關王，你連海報都綁不好。」幾個女孩說。

「這樣才能再玩一次啊，打掉重練，一定更刺激。」機關王鑽出海報：「我是地表最強的機關王，我設計的機關，你們過得了嗎？」

「沒問題，只要我們努力。」所有的孩子，開開心心的喊著：「超人科，讀好讀滿，人人都是全能的超人。」

或許你會問，小學裡怎麼可能有這種課？

因為——在可能小學裡，沒有不可能的事，這是可能小學的校訓。

可能小學在哪裡？

它在捷運動物園站的下一站。

或許你又要問，捷運動物園站已經是最後一站了，哪來的下一站？

因為，在可能小學裡，沒有不可能的事啊，如果你下回到動物園站，別急著下車，等大家都走後，你會發現，車廂裡還有些孩子，他們穿著藍金色制服，相互微笑，滿臉期待。

那是因為，可能小學的孩子，他們每天都迫不及待想上學呢！

楔子——最強機關王

代號：毛公行動

目錄

楔子——最強機關王 06

人物介紹 16

壹、不像密室的密室 20

貳、烽火臺 32

參、高木隊長 56

肆、傳說中的毛公 80

伍、司禮官規矩 96

陸、歡樂頌 104

柒、金花朵朵開工坊 114
捌、釣虎驪山 124
玖、毛公鼎的密室逃脫 136
可能的真相會客室 148
絕對可能任務 160
作者的話
當白菜還是白菜的時候 166
推薦文一
從故宮文物出發的素養穿越之旅 170

人物介紹

機關王

小平頭，戴著金色G字項鍊的機關王，是可能小學超異全人科老師。設計機關的能力值100，但實際執行能力要等你親自體會後才知道。這回他設計了「代號：毛公鼎行動」密室逃脫活動，效果嘛……千萬不要有太大期待。

霍許

可能小學五年級最高的學生，長得濃眉大眼，五指修長，熱愛推理小說與幫忙找東西，校長的車鑰匙、導師的臉書密碼都是他找回來的，協尋紀錄只有一件找不出來——他的壓歲錢，或許他自己太會藏，才會藏到連自己都找不到。

伍珊珊

可能小學五年級學生，捲捲的頭髮，滿臉的雀斑，因為爸爸在故宮博物院當研究員，她把故宮當成安親班，一下課就在故宮裡研究國寶身上的花紋，國寶的知識滿分，但是要讓她繞操場走三圈，要從清晨等到黃昏。

高木隊長

西周邊界的隊長，鐵塔的體格，響雷般的聲音，誰要惹他不高興，他的拳頭就像雷神索爾的重錘，敲得每個士兵咚咚響。這個漢子最愛小花，天天唱軍歌給「她」聽，小花是誰呢？請進故事裡認識「她」。

詩三百

外號「找死的」

詩三百，留著一撮小鬍子，搖著手鈴，邁著優閒的步子，四處打聽哪裡有詩可採，哪裡有歌可聽。他是毛公派來的采詩官，坐著今年春天剛買的馬車，立志要用西周時代的技術，做出青銅器的「屁陣器」。

毛公

含著金湯匙出生的毛公，是個不到三十歲的小帥哥，本故事的顏值擔當，有帥帥的小鬍子，帥帥的衣服，走起路來，瀟灑倜儻，新接周天子任命，要管理國家，是標準的人生勝利組。

貓侯

胖胖的貓侯，爵位比毛公小一階，個子比毛公矮一些，家裡用的器具比毛公少一點，所以，他只要看見毛公，眼睛就會紅一點，脾氣也會大一點點，EQ值偏低，心胸肚量窄到連縫都沒有。

壹　不像密室的密室

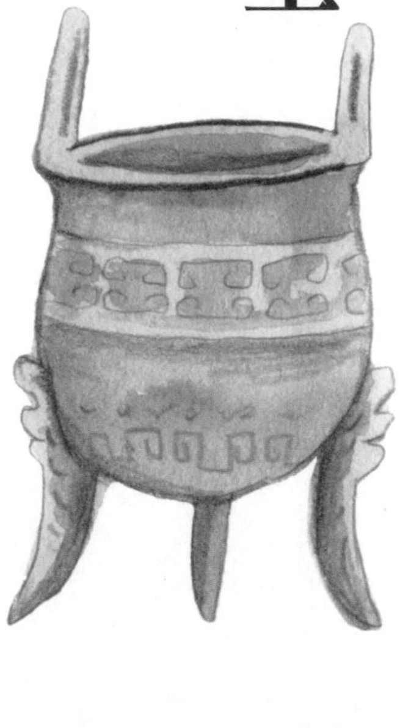

霍許算好了。

時間是中午，「代號：毛公行動」密室逃脫入口前的人潮都散了，他比了個「耶」，算對了，這時候，趕著玩密室逃脫的人多半玩過了。剩下的同學也都回教室吃飯去了。

「這個時間我自己玩，不必排隊。」

不過，他推門的同時，後頭有個人也跑來了——是他的同學伍珊珊。

霍許誠心建議她：「或許，你吃完飯後再來玩。」

「霍許，你就別再或許了，現在玩，人比較少。」原來伍珊珊的想法和他一樣。

伍珊珊的爸爸在故宮博物院裡當研究員，常跟爸爸進博物館，故宮辦演講、研習或夏令營，她都會參加，故宮的國寶她如數家珍，但是密室逃脫對她來說，有點困難。「我跟你一起進去，好不好？」

霍許假裝嘆口氣：「進了密室別亂跑，或許帶著你，我們再也出不來了。」

「太好了，你是班上的小偵探，跟著你就對了啦。」

五年愛班的小朋友都知道，霍許的媽媽是檢察官，專門調查案件，他從小喜歡看推理小說、偵探故事，未來想當偵探，打擊犯罪，維護世界和平。

霍許推開密室逃脫的大門時，「喔」了一聲！

那聲「喔」，不是讚嘆的喔，也不是佩服的喔。

那聲「喔」，短短的，摻雜了「失望」、「怎麼是這樣」與「饒了我吧」的喔。

可能小學是一所很厲害的小學，他們能在一夜之間蓋出埃及神廟，讓操場的跑道長出參天巨樹，甚至送小朋友上天下海去冒險。

今天學校舉行「代號：毛公行動」的密室逃脫活動。

霍許對此抱有極高的期待。

每個孩子都相信，可能小學的密室絕對會比真正的古堡還像古堡，比飛到太空還更像太空，說不定還會找來史前暴龍、武士或怪獸助陣。

那絕對是九死一生都無法形容的刺激啊！

沒想到……

眼前的密室由普通教室改裝，入口是由三合板胡亂拼湊而成，而且合板接縫的地方沒貼齊，原本應該要伸手不見五指的空間，還有日光溜進來。一堆趕工留下的

粗糙痕跡、裸露沒收妥的電纜線，隨處可見。

入口對面有兩個櫃子，一高一矮，矮的那個還破了一角，不知道被誰踢破了；高的那個，門半掩著。

霍許懷疑自己來錯地方，他退到門外：「沒錯啊，塑膠合板的門上貼著『代號：毛公行動密室逃脫入口』。」

「這真是太不可能小學了。」霍許回到大廳，檢查四周，看不出哪裡有神奇的密室。一旁的伍珊珊打開矮櫃，發現它原來是

掃具櫃，裡頭有掃帚、破布，還有垃圾桶，正傳來一股食物腐敗的濃烈氣息，她趕緊捏著鼻子把門關上。

高櫃子的門突然被人推開了，竟然是機關王藏在裡頭。他是打算躲在櫃子裡嚇人嗎？

機關王的脖子有條金色項鍊，垂下的大寫G字墜子閃閃發光。

霍許狐疑的問：「這間是密室逃脫的入口嗎？」

「哈，這位同學答對了，『代號：毛公行動』的密室逃脫共有三個任務，

闖關者要連過三關：『烽火歲月、西周奇謀和青銅時代』。我保證，你們進來就絕對出不去，哈哈哈。」

伍珊珊看看四周粗製濫造的大廳：「你說，這裡逃不出去？」

霍許玩過許多密室逃脫，他可不想浪費時間在這種「隨隨便便」的密室，他想走，但才走到門邊，聽見機關王講起三道任務，於是他忍不住停下來，想聽聽這裡藏了什麼機關。

伍珊珊抱著希望：「機關王老師，你能介紹一下密室嗎？它們有什麼不同。」

機關王「嘖」了一下，像個義大利廚師，用誇張的口氣說著：「這三大任務，太精采了！第一個任務叫『烽火歲月』，闖關者要在敵人進攻前，點燃烽火，避免讓鎬京城落入敵手。『西周奇謀』則是要解讀訊息，外加冒險推理。最後一道任務叫做『青銅時代』，空間布置成古代樣貌，必須找到毛公鼎才能逃出密室。」

「毛公鼎？」伍珊珊的眼睛亮了：「是故宮三大國寶之一，上頭有四百多個銘文的那一個？」

「正確來說是四百九十九個字。」機關王自己製造音效：「小朋友，告訴我，你是哪一班的同學，期末的成績加五分。」

「五年愛班。我不要加分，我比較想知道，密室裡用的毛公鼎是在哪裡做的複製品？」

「這位同學別開玩笑，我的毛公鼎當然是真的啊！」機關王招呼門口的霍許：「那位同學別走啊，你是害怕挑戰了嗎？我們的密室不但要找到出口，還得推理和尋寶，尋找真正的國家寶藏耶。」

霍許沒好氣的問：「所以，找到貓空鼎就成功了？」

「霍許，不是貓空鼎，是『毛公鼎』，那是臺北故宮博物院的國寶。」伍珊珊解釋：「它是目前發現的青銅器中，刻了最多銘文的國寶，足足有四百九十九個字。」

「這跟密室逃脫有什麼關係呢？」

機關王把他的小平頭整理了一下，繼續說：

「國寶有危機啊，毛公接受天子冊命的事，全刻在鼎上了，可是，你們知道嗎，這個毛公鼎不見了，你們要幫他找回毛公鼎，毛公才能當毛公啊，總之，一切的原因就出在這一封穿越時空來的信……」

機關王從口袋掏出一張皺巴巴的紙，把它攤平。紙是普通的A4影印紙，上面是列表機列印出來的14號細明體字……

西元前不知道多少年，周王冊命毛公統領百官改革，王命刻在鼎上，做為毛公任命的依據，但是毛公鼎卻被人盜走了。你必須和你的夥伴一起潛入西周，利用所學點燃烽火，按著詩經的詩詞指示，找回毛公鼎，毛公才能協助周王，治理天下……

伍珊珊還在研究那張紙時，霍許笑了：「這是假的。」

「為什麼？」伍珊珊問。

「西周時代的人，使用的文字是金文或甲骨文，怎麼會有細明體的字，而且，當時『紙』還沒發明，老師，你的密室前言，破綻太多，前言要有更好一點的設計，這才有質感啊，你可以用羊皮或牛皮，不然也要寫在木板上才……」

霍許說到這兒，抬頭正想跟機關王建議，但是看不到他的人影。

「機關王呢？」霍許問。

伍珊珊打開高櫃子的門，咦，剛才機關王走出來的門裡，裡頭竟然是一道牆，誰能在這麼短的時間砌好一堵牆？

她走到另一邊，打開矮櫃的門，哦，便當裡的餿味似乎更濃了。

「這裡沒有別的門，機關王是從哪裡出去的？」

「不，還有一個。」霍許望著他們進來的門，「故弄玄虛，無聊。」

霍許走過去，想把門打開，然而門把卻動也不動。伍珊珊過來幫忙，兩人忙了半天，大門緊閉的樣子，就像霍許曾參加過的每一場密室逃脫一樣。

貳 烽火臺

「這裡真的變成密室了？」伍珊珊問。

「別擔心，這種隔間輕輕一推就倒了。」

霍許推了推三合板的牆，說也奇怪，看起來不堪一擊的板子，這時卻如鑄鐵般，動也不動。他不相信，用力一踢，感覺像踢在大樹上，但是三合板牆依舊紋絲不動。

「太帥了。」霍許開心的叫著。

「這有什麼好高興的？」伍珊珊不解。

「這才像可能小學的密室逃脫啊。」霍許沿著牆壁輕輕敲著，「我們仔細想一想，或許，線索就在這裡頭。」

伍珊珊繞了密室一圈：「這裡除了大門和這兩個櫃子之外，根本就沒有出口。」

「別太早下定論，」霍許彈彈手指：「上帝關了一扇門，或許會幫你再開一扇窗。」

伍珊珊嘆了一口氣：「先生，這間密室沒有窗。」

「但有門。」

「高櫃子的門通向牆壁，矮櫃子的門後是掃地用具和垃圾。」

霍許玩過許多次密室逃脫，他知道有的人會把鑰匙藏在地板下，有的是塞進牆縫中，還有個密室把書挖空，把鑰匙放裡頭。對了，有一次他是在一個燈泡裡頭找到鑰匙。

霍許和伍珊珊開始檢查這間密室裡所有的一切，他們也把燈泡取下來檢查。

「這裡除了垃圾，」伍珊珊抱怨：「什麼也沒有。」

「澈底沒用的東西才是垃圾……」霍許在掃具櫃裡一樣樣的翻，就算是氣味可怕的便當盒他也仔細看過。便當盒裡有啃一半的雞腿，沒有鑰匙；他把裝滿破布的桶子倒出來，桶子裡也沒有鑰匙。霍許將破布一一攤開來。「咦，有的像衣服，有的像裙子。」

伍珊珊拿起其中一件衣服，它們的材質粗糙，做工隨便，她說：「我家的抹布都比它好。」

「等一下，這應該是密室逃脫的闖關服裝，任務單上說要我們『潛入西周』，想要潛入一個地方，最好的方式就是『喬裝』！所以我們想要逃出密室當然要先喬裝，好好角色扮演一番啊。」

霍許把衣服套在身上，十分合身。

伍珊珊搖搖手：「你穿的是裙子。」

「或許，那個年代的人都得這麼穿！你別抱怨了，快穿上這些衣服，密室逃脫很好玩的，這裡一定有監視器，只要我們穿好衣服，門就會打開，然後就會展開冒險之旅啦。」

伍珊珊的動作很慢，她彆扭的套上衣服，拉拉裙角，霍許做了個請的動作，煞有其事的說：「娘子，走吧，咱們上京趕考啦。」

「什麼娘子，我是姑娘。」伍珊珊看看四周，可惜，門仍然關得緊緊的，什麼事也沒發生。

倒是不知道從哪裡傳來一陣鼓聲。鼓聲咚咚，夾雜著馬蹄和人聲。

「這是在打仗嗎？」伍珊珊害怕的問。

「這是密室逃脫，姑娘別怕，我們只要找

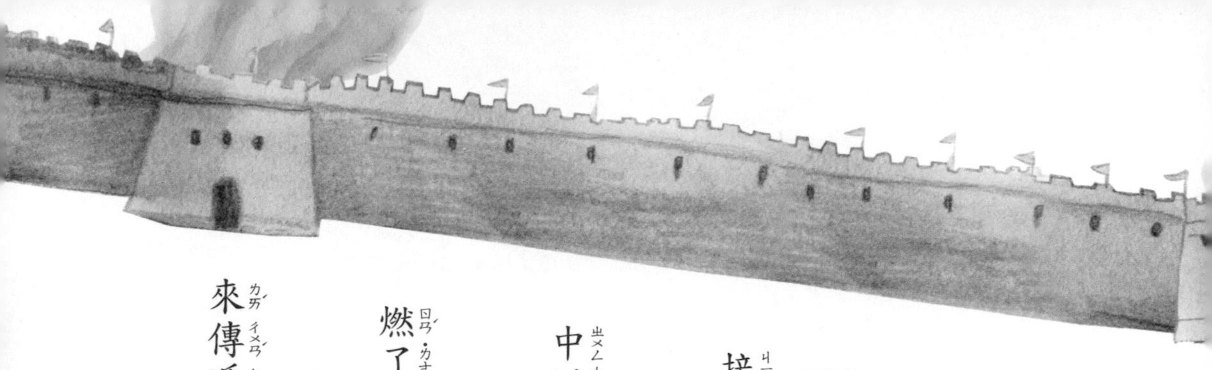

到方法……」

天花板的投影機上適時把一幅三D圖畫投射在牆上，那圖像太逼真了，霍許跟伍珊珊簡直就像站在山稜線上，烽火臺由遠到近。

接著，最遠的烽火臺忽然被點燃了。

那座烽火臺距離遠，火花就這樣在夜空中跳動著。

但沒多久，另一個烽火臺也被點燃了，戰鼓的聲音變得更大了。

霍許知道烽火臺是古代用來傳遞軍情的工具。當敵人進攻

時，只要點起烽火，光的速度比聲音快，就能在最短的時間傳遞軍情。

又一個烽火臺亮了起來。

一個接一個，雖然是三D投射出來的圖像，但那逼真的樣子，好像戰爭隨時要開打了。

「你不覺得……那兩個櫃子外型就像烽火臺嗎？」伍珊珊說。

「我懂了，這是機關王說的第一個任務！我們必須把烽火點燃。」霍許喊著。

「趕快找打火機。」伍珊珊爬上「烽

火臺」，上頭真的有木頭堆，但是臺上子卻沒有任何點火的東西。

鼓聲又變得更大了，那個矮櫃轟的一聲被點燃了，頓時熱氣蒸騰，火舌飛舞。

「怎麼辦？怎麼辦？」伍珊珊大叫：「霍許，我不會鑽木取火啊。」

「是喔？」

「你找找看這裡有沒有放大鏡，我們可以利用日光聚熱升火。」

「密室哪來的日光呢？」霍許好整以暇的看著她。

「你怎麼一點都不急？」鼓聲有如狂風驟雨，戰馬、

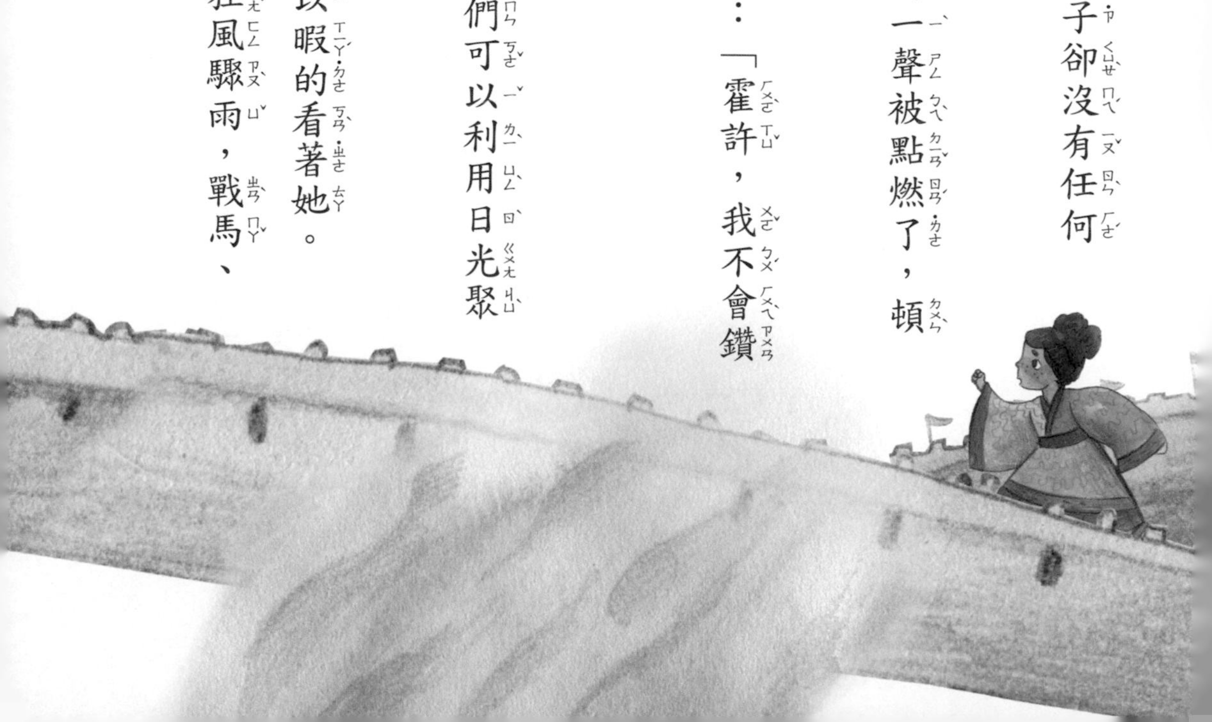

士兵的聲音震天響，伍珊珊雖然知道這是密室，但是聲音真實得就像士兵隨時會衝出來一樣。

就在伍珊珊大吼大叫的同時，霍許從矮櫃的烽火臺上取了一根著火的木頭，回到高櫃子旁……

轟的一聲。

「點燃了？」伍珊珊吶吶的問。

「點燃了。」

「就這麼簡單？你這樣沒犯規嗎？」

「規則上沒說不可以啊。」

「可是這是一個密室耶？」

霍許拍了拍手：「從密室裡逃脫就是唯一的規則。」

他說完，看起來完全密合的牆滑到另一邊，裡頭又是一間密室，密室中間有個保險箱，牆上用投影機打出三十二個字，那像是一首詩。

肅肅兔罝，椓之丁丁。
赳赳武夫，公侯幹城。
肅肅兔罝，施於中逵。
赳赳武夫，公侯好仇。

「詩經，」伍珊珊的爸爸讓她讀過不少詩經，這首她好像讀過，內容講的是報效國家的衛兵，「就是西周

時期的詩啦。」

天花板上有個雷射投影機，它不斷的旋轉，最後把四個綠點打在四個字上。

肅肅兔罝，椓之丁丁。
赳赳武夫，公侯幹城。
肅肅兔罝，施於中逵。
赳赳武夫，公侯好仇。

「肅赳施武？」伍珊珊念了一遍：「這有什麼含義嗎？」

「他要你嚴肅的施展武術啊。」

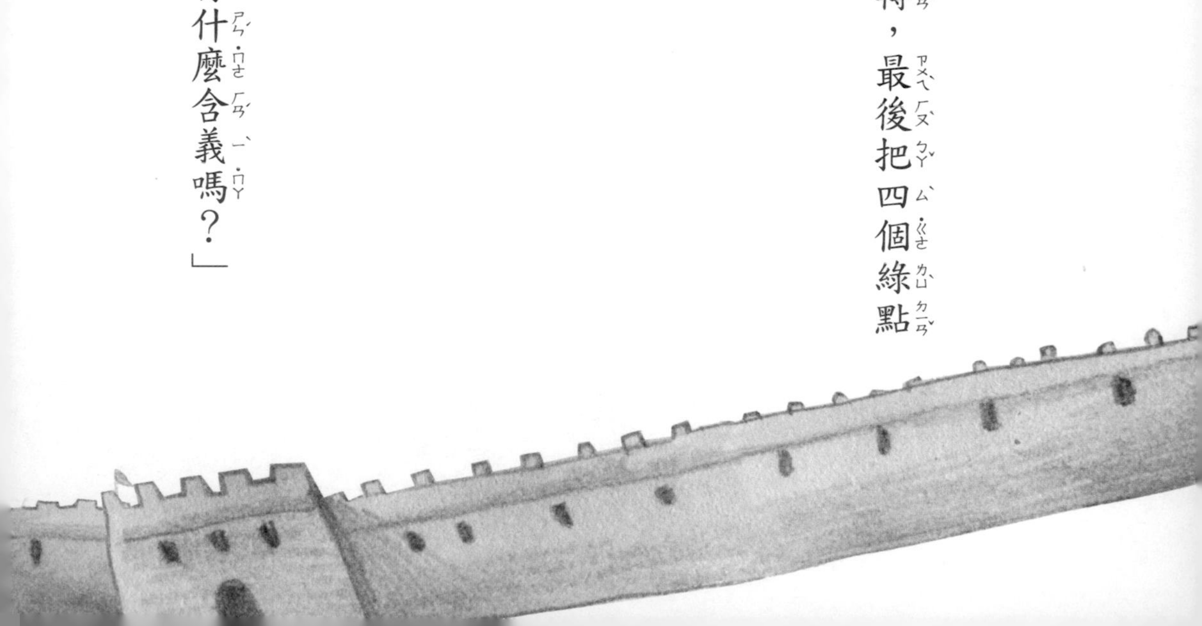

「什麼跟什麼啊？」

霍許笑了：「沒那麼難，這只是諧音嘛，你再唸快一點。」

「4945？」

霍許走到保險箱旁，他做個請的動作，伍珊珊把號碼按下去，咔的一聲，鎖開了。

保險箱裡，只有一張白紙，上頭有個圖案。

伍珊珊把那張紙拿出來時，牆上的詩句又變了——

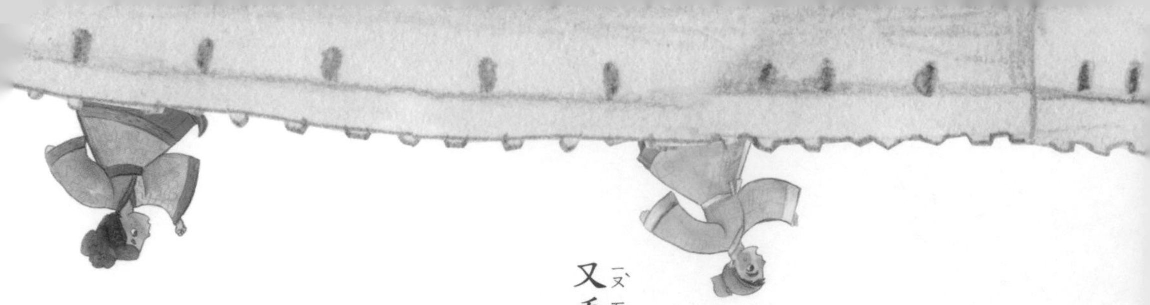

驪山之東，采采吉金，彼美佳人，可與對歌。

驪山之東，采采吉金，彼美佳人，待我成親。

「同時出現這張圖跟這首詩，到底有什麼關係啊？」霍許看看圖，又看看字，「越來越有趣了。」

密室另一邊的門上掛了個密碼鎖，密碼有四位數。

「四位數的密碼，我們從0001開始試，最多試到9999，一定有答案。」霍許提議。

「那樣太久了，」伍珊珊回頭看那張圖，她看不懂，又回去看牆上的詩：「這是在說有個人去採金，家裡的美人等著他回來。」

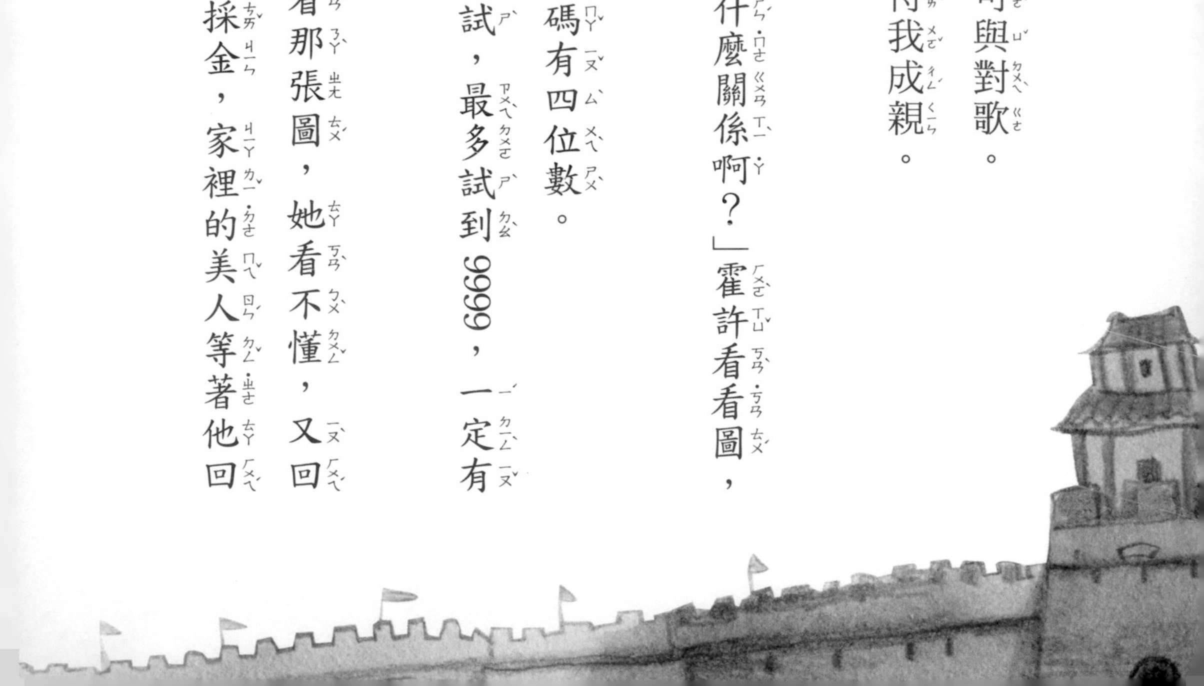

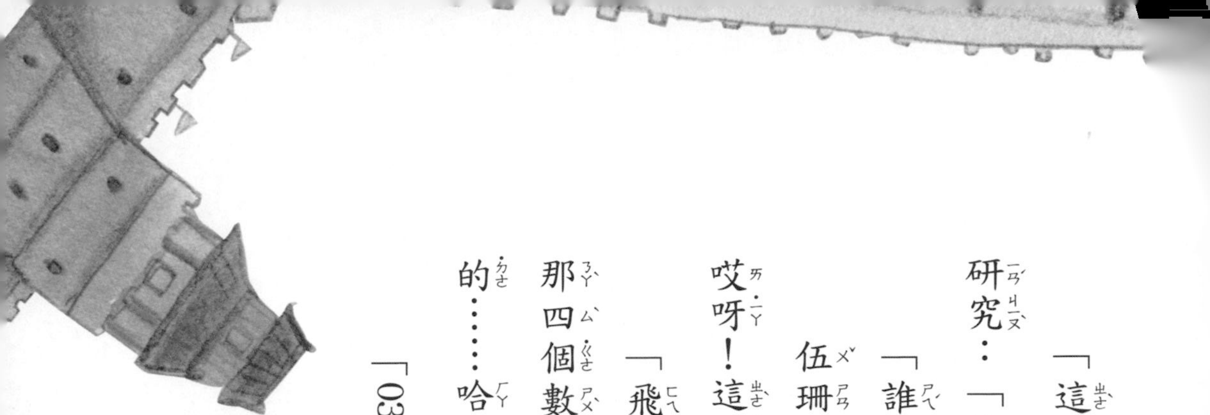

「這跟密碼沒什麼關係，或許答案還是在這張紙，」霍許低著頭研究：「你也是來闖關的，快幫忙想啊。」

「誰看得懂這些字啊？反過來看也看不懂啊？」

伍珊珊把紙翻過來，翻過去：「看起來像數字鐘，可是又怪怪的。哎呀！這些筆畫飛來飛去的，太亂了啦。」

「飛來飛去的筆畫？」霍許拍拍手：「沒錯，沒錯，上面那排那四個數字的豎劃都左飛了一格，所以正確數字應該是2330，下面的……哈，它們向右飛，是……」

「0332」伍珊珊按下密碼，掛鎖卻文風不動。

「牆上還有詩啊，四個字一組的詩，如果按2330的順序取下來，那就是山吉佳吉佳我。」

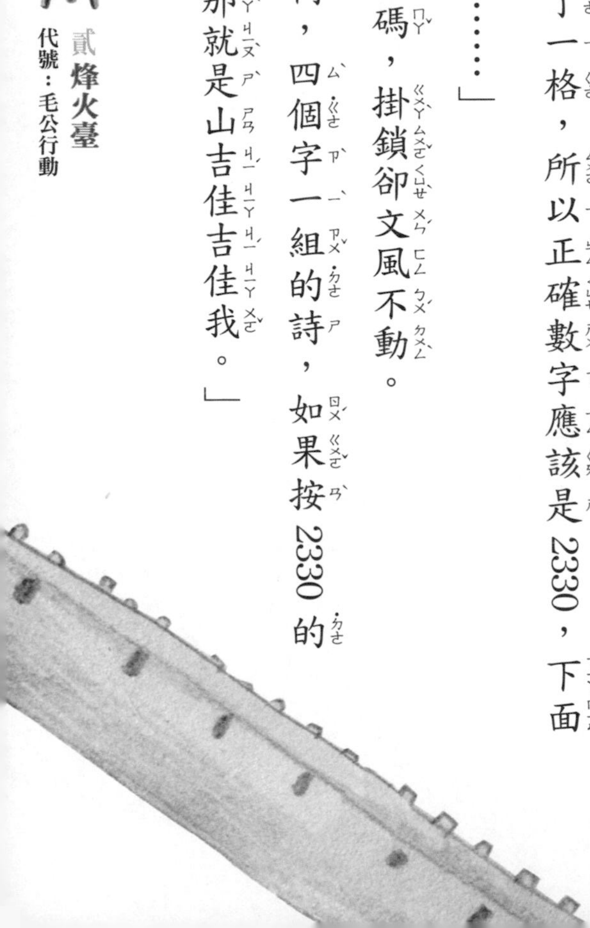

「山吉佳吉佳我？這也不是四個字啊。」

「不是嗎？」霍許彈著指頭想：「如果像上一題一樣，變成諧音字呢？」

「那就成了37+7+5=49，一樣不是四位數啊。」

「但有可能是0049。」霍許按下0049，咔，掛在門上的密碼鎖解開了。

伍珊珊把門推開，讓他們失望的是，裡頭只是一間普通到不能再普通的教室。

「我們闖關成功了嗎？」伍珊珊問。

「應該還沒。剛才機關王說有三個任務，我們只解開兩個。」

霍許走到教室門口，門打不開，上面有個奇怪的鑰匙孔：「這個像

不像三腳水母？」

伍珊珊看了一眼：「霍許，這是『鼎』，不是水母。我們需要一把長得像鼎形狀的鑰匙。」

「有目標就好辦了！」霍許審視這間密室，鑰匙一定在這裡。

「鑰匙會藏在哪裡呢？」霍許和伍珊珊在每個角落摸索。

課桌椅、教室的講桌、老師的辦公室，甚至放掃帚的角落。

「每個地方都檢查過三次以上了。」伍珊珊氣呼呼的拿著掃把猛敲牆壁，砰砰砰砰響，這裡連夾層也沒有。

「或許還有什麼地方沒注意到？」霍許不放棄。

「每個地方，每個東西，我統統都檢查過了。」

「那枝掃帚你就沒檢查啊。」

伍珊珊把掃帚抖一抖，裡頭沒有鑰匙，她把掃帚遞給霍許：

「這真的只是一根普通的竹竿掃帚。」

「或許吧。」

霍許檢查了一下，咦了一聲。

掃帚竿頂端的橫剖面，樣子就像「三隻腳水母」的鼎。

「這是鑰匙？」伍珊珊問。

「或許是，或許不是，不試怎麼會知道呢？。」

霍許做個誇張的動作，他把掃帚竿伸進鑰匙孔裡，轉了一下。

轟……

那扇緊閉的門被一股極大的力量推開——是風，一股強勁的風推開大門，屋裡的東西都飛起來，掃帚、破布，甚至是便當盒裡的雞腿都被吹了起來。

強風逼得他們低頭、閉眼，要不是他們互相緊拉著對方，可能已經被狂風吹走。

「好可……怕……」伍珊珊連呼吸都很困難。

「千萬別鬆手啊！」霍許在風裡喊著，然而風這麼強，他的聲音一出來，立刻就被風吹走了吧？

呼呼呼呼——

「風要吹多久呢？」

「可能是十分鐘，但也有可能是一小時。」

他們頂著風走出門外，風還在吹，感覺有什麼東西飛上天，伍珊珊瞄了一眼，是那根雞腿。

「雞腿沒翅膀，竟然也能飛。」想到這裡，霍許笑了，他還忘情的跟雞腿揮揮手，也就在那一剎那，他感覺風變小了，雞腿從半空中掉下來，正巧打在他頭上。

風停了，四周安靜了。

伍珊珊看看眼前，哇了一聲：「學校呢？」

可能小學的禮堂、教學大樓，還有校舍後頭的水塔劇場通通都不見了。

溫暖的陽光照耀著，空氣裡有森林的香味，一道山稜線彎彎曲曲

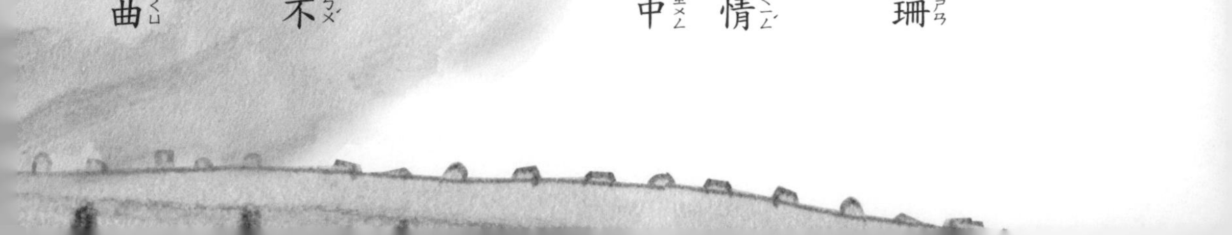

的朝向遠方，山巒上方飄著一層厚厚的霧氣，景色很美。

離他們最近的地方是個四、五層樓高的土臺子。

「我們還沒逃出密室嗎？」伍珊珊想往回走，卻發現他們出來的地方竟然變成一片陡直的石壁，「我們怎麼會來到這裡？」

「這才像可能小學啊，這密室一定是用最先進的VR虛擬實境系統建構出來的，一切都是虛擬的。」霍許深深吸了一口氣：「你聞聞看，空氣還有特別調味過，哇，竟然還有牛糞的味道，不知道他們模擬的是哪個朝代啊？」

「那是馬糞。」伍珊珊看見土臺子邊有匹馬，「我猜

是模擬西周時期。別忘了，我們的任務就是尋找毛公鼎，毛公鼎是西周的，那個土臺子一定是烽火臺。」

他們說話時，烽火臺那邊有歌聲傳過來……

赳赳武夫，椓之丁丁。

赳赳武夫，即日遠征。

赳赳武夫，衛我國門。

「那首歌，我一定聽過……」

霍許說，「或許是熱門音樂排行榜。」

伍珊珊仔細聽了聽：「什麼排行榜，那是我們剛才通過任務用到的詩經，這首是描述武士保衛國家的詩，這些詩原來就可以唱。」

前方有幾個士兵，圍著熊熊烈火高歌，歌聲渾厚，簡短有力。

火堆中有個鼎。

「他們真的用鼎在煮東西耶。」故宮的古董都住在玻璃櫃裡，這可是伍珊珊頭一回見到鼎在生活中實際應用，她很興奮。

那個鼎有三條腿，底下堆滿柴火，火很

旺，肉香四溢，士兵們唱完了，肉好像也熟了，拿刀割肉，圍著鼎吃起來。

「我們找到毛公鼎了，這麼容易就完成任務了啊。」霍許有點不滿，「沒戰爭也沒壞人，太簡單了。」

「那個不是毛公鼎。」伍珊珊解釋：「毛公鼎是青銅器，這些人用的是陶器。」

「有什麼不一樣，都是鼎啊！」

霍許說話的聲音大了點，一個士兵抬起頭：「看，有玁狁的細作！」

其他幾個士兵也跟著示警：「敵人，是敵人！」

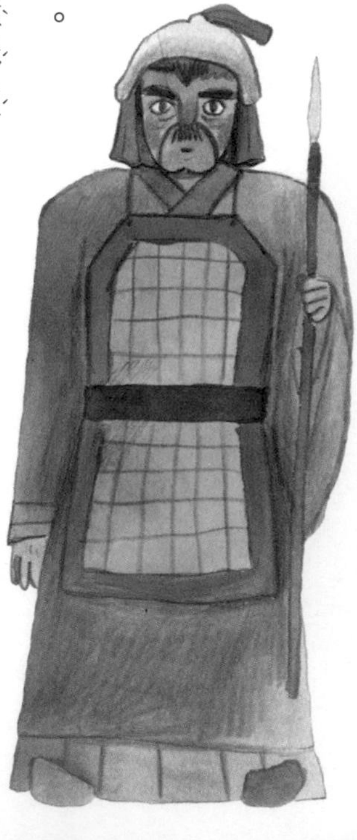

烽火臺的使用

古代沒有衛星電話，也沒有手機，敵人來了怎麼辦？聰明的古人，想到了可以使用烽火臺——白天發現敵人就燃起濃煙；晚上點火，利用煙和火，把消息傳給下一個烽火臺，一個傳一個，讓軍情快速傳達。

烽火臺通常設在高崗上，而且每隔幾里就要設一座烽火臺，終年都要派士兵看守。高崗上沒水沒電，夏天陽光晒，冬天風雪烈，非常辛苦。

西周時，為了防備敵人侵擾，沿著邊界設了很多烽火臺。到了周幽王時，他有個酷酷的夫人褒姒，從來都不笑。為了逗她開心，所以周幽王下令點燃烽火，各路軍隊見了烽火，以為敵人進攻了，匆匆忙忙趕到京城，褒姒在城樓上看到士兵們狼狽的樣子後，忍不住笑了。這一笑，周幽王滿意了，軍隊們卻生氣了，等到敵人真的入侵，幽王再點烽火，大家以為幽王又在戲弄他們，所以根本沒有士兵前來護駕，最後，西周就這樣被滅國了。

烏龍溝長城烽火檯

參 高木隊長

三個士兵，拿著長戈朝霍許和伍珊珊跑過來。

這種戈，伍珊珊也是第一次在博物館外的地方看到，而且士兵正拿真實的戈抵著她。

大眼士兵喊著：「不要動。」

長腿士兵說：「手舉起來。」

霍許沒動，旁邊闊嘴的士兵命令他：「你，舉手！」

「你們一個叫我不要動，一個叫我舉手，既然不能動卻還要我舉起手，請長官示範！」

三個士兵你看我，我看你，看了半天沒人動。

大眼士兵說：「別動就是全身都不能動。」

闊嘴士兵不服：「舉手才能投降啊。」

「應該先舉手再不動作。」

「他們既然都不動了，何必舉手。」

霍許向伍珊珊使個眼色，趁他們吵架時轉身。伍珊珊正想走，頭卻撞上一堵牆。抬頭一看，她才發現自己撞上的不是牆，是個像鐵塔般的男人。

「別吵！」那個巨漢的聲音有如一陣響雷。

「高木隊長。」

「隊長到了。」

「隊長，你說句公道話。」

三個士兵看見他，你一句我一句，高木隊長的拳頭在大眼士兵頭盔上一捶，咚的一聲：「別、吵、了——」

剎那間，山巒靜了，涼風靜了，高木隊長把伍珊珊和霍許像提小雞一樣拎起來，「小小年紀就當奸細！」

「什麼是奸細？」霍許問。

「奸細啊……」高木隊長看看他：「奸細就是……就是玁狁派來的奸細。」

霍許搖搖頭：「隊長，什麼又是玁狁？」

「玁狁住在山的另一邊，他們很壞很壞……」高木隊長說到這兒，突然領悟：「你們明明就是奸細，還問我這麼多，去跟『找死的』待在一起。」

「找死的？」

霍許還在發問，但那個隊長隨手一扔，他們就被扔到烽火臺邊了。

他們爬起來，發現身邊有個年輕的叔叔，他的嘴上有撇小鬍子，像個

俘虜，但優閒的表情卻像是個主人。他手裡拿著有個手搖鈴，輕鬆自在的搖著鈴。

鈴聲輕脆。

「你叫做找死的？」伍珊珊問。

那個找死的拍拍地上：「在下詩三百，年紀二十，離死翹翹還有很長很長的一段日子。」

伍珊珊放心了：「我是伍珊珊，他是霍許，我們都是可能小學的學生。」

「可能小學，那裡有詩嗎？」詩三百的名字古怪，外表卻很和氣，他深深吸一口氣：「好香的鹿肉。」

原來陶鼎裡煮的是鹿肉，詩三百對著士兵喊：「留

塊後腿肉給我。」

高木隊長很大方，撕了幾塊肉給他們。伍珊珊嚐了一口，鹿肉經過簡單火烤，滋味不差，詩三百不怕燙，大口大口撕咬，士兵叫他找死的，他也不介意，吃完手上的鹿肉，看伍珊珊的肉吃不完，接過來，撕了一塊丟進嘴裡：「真過癮啊。」

伍珊珊不懂：「他們為什麼叫你找死的？」

「我是毛公派來的采詩官——詩三百，這些人沒學問，我說我是來找詩的……」

「他們就聽成找死的？」伍珊珊把手上的鹿肉拿給他，詩三百搖搖頭，推回去，要她吃。

「你們有沒有什麼歌或詩唸給我聽？可以讓我記下來，獻給周天子。」

「詩或歌啊？」伍珊珊問。

「天下這麼大，一定有很多好聽的詩和歌，我要幫他統統找出來。兩位少年朋友，你們有沒有詩或歌呢？」

伍珊珊雖然和爸爸研究國寶，其實也挺喜歡唱歌的。

「我最近練了幾首RAP。」

「瑞波？那是什麼詩呢？」

「RAP，」珊珊解釋：「那是一種唱得很快的歌。」

「好好好，詩能唱成歌，歌也能吟成詩。」詩三百催著：「你唱，我記。」

「在這裡？」伍珊珊看看四周，正好和高木隊長兩眼相對，高木隊長大吼：「你還不快唱啊……」

「唱就唱，誰也不准摀耳朵、笑我唱不好。」伍珊珊清清喉嚨，看看天空，天空晴朗，天好藍。

「我的姑奶奶啊，你到底唱不唱呀？」高木隊長催著。

「我叫做伍珊珊，『珊珊』來遲，本來就不會

太快啊。」伍珊珊笑一笑，唱了起來：

星空寬闊大漠藍，
炎炎烈日黃沙軟，
記得你曾來長安，
住在杜甫家客棧，
跟著李白酒攤轉，
轉一轉啊轉一轉，
黃黃花開滿長安。

沒人拍手，沒人叫好，只有高木隊長吼著：

「這是什麼歌啊，像小姑娘似的，我的小花都唱得比你好。」

「人家本來就是小姑娘啊。」伍珊珊問：「還有，誰是小花？她也會唱這首歌？」

士兵們哈哈大笑：「小花是我們隊長的戰馬。」

高木很得意：「我的小花，日行百里，夜行八十，上了戰場，如果碰上敵人，更是威風凜凜。」

「這歌沒那麼差啊。」詩三百說：「歌詞好，曲子好，雖然我不知道什麼李白、杜甫的……」

「啊，李白是唐朝人。」伍珊珊吐吐舌

頭，她忘了，唐朝比西周晚，他們當然沒聽過李白和杜甫。

高木叫了他的手下：「我們來首男子漢的歌，唱給小姑娘聽。」

烽火臺邊的士兵，圍著陶鼎唱起來，是剛才的那首歌：

赳赳武夫，椓之丁丁。

赳赳武夫，即日遠征。

赳赳武夫，衛我國門。

他們人數少，聲音卻很渾厚。短短的句子，唱起

來，像像出征前的怒吼。

「這首歌也很好。」詩三百拍手叫著，「歌詞簡單，含義深遠，說出戰士離家遠征，保衛國家的心境。」

「那是一定的啊，我們守著小小的烽火臺，保衛大大的國家，玁狁想攻過來，沒那麼簡單。」高木隊長和士兵搭著肩，在山稜上，放開喉嚨大聲唱和。

雲霧聚攏起來，開始下雨了，雨中有一群男子漢在唱歌。

歌裡有他們熱愛的國家，他們親愛的家人，還有一起打仗的兄弟。

伍珊珊和詩三百都忍不住站到他們身邊，跟他們一起唱。

歌聲在山谷間迴盪，好像不必點烽火，就能傳到下一個臺子似的。他們唱完了歌，彼此笑一笑，好像聽見另一個臺子也有歌聲。難道烽火臺變成歌唱擂臺？

霍許豎起耳朵……

山谷裡有歌聲，越來越近，越來越清楚，幾個背著簍筐的男人，也淋雨唱歌。難道這時代的人，都這麼愛唱歌啊？

驪山之西，采采吉金，彼美佳人，可與對歌。

驪山之西，采采吉金，彼美佳人，待我成親。

「好好好，這歌也好。」詩三百在旁邊拍手叫道，「今天是採詩豐收日。」

「這歌我記得。」霍許看了伍珊珊一眼。

伍珊珊點點頭：「是詩經。」

「他們是採金礦的工人，歌裡說的是他們採了金礦，可以娶心愛的人啊。」詩三百聽得搖頭晃腦，「哇，今天收穫真多，小姑娘剛才的歌整理後，也是首好歌。」

伍珊珊搔搔頭：「那……那首不是我的歌，是鐵管兄弟的歌，他們已經盤據排行榜冠軍有十六週。」

「什麼是鐵管？」

「鐵管，用鐵做的管子啊？鐵管兄弟唱歌時，拿著鐵管耍花槍，帥呆了。」

「耍花槍？」

「啊？你不知道花槍？耍花槍就是……就是……」伍珊珊被問得快走投無路時，一聲雷響，採金人漸漸接近，他們還在唱……

驪山之東，采采吉金，彼美佳人，可與對歌。

驪山之東，采采吉金，彼美佳人，待我成親。

「我們可以進去避雨嗎？」那幾個採金人疲憊的問。

「軍事重地，請勿靠近。」闊嘴士兵不答應。

「那……鼎裡的肉能分點給我們嗎？」

「那倒沒問題，吃了快走，別逗留。」

闊嘴士兵把鹿肉給他們，一個特別壯的工人接了過來，其他人發出一聲歡呼，唱著歌，開開心心的走了。

看著他們漸漸走遠的身影，聽著他們的歌聲越來越小，霍許拉拉高木隊長：「隊長，你什麼時候要把採金人抓起來？」

「抓人？」高木不以為然，「沒有採金人，哪來的刀槍！」

伍珊珊問：「刀槍？」

高木把刀拿在空中劈了一下，像個大俠般站著：「我們的大刀、長戈，都靠金礦提煉，獵狁打不過我們，因為他們的武器太差，不會做金大刀。」

霍許讚嘆：「用金刀做武器？真奢侈！」

「那是銅啦，」伍珊珊在故宮看過不少青銅器：「採金人採的『吉金』是『銅』，不是金，只是這年代的人，把銅叫做金。」

高木隊長笑了一下：「百姓沒資格拿刀，在這年代，能拿刀的，都是有身分、有地位的人。」

隊長一說完，士兵們忙著鼓掌：

「沒錯，隊長的身分當然跟我們不同。」

「我們的身分，又跟這幾個老百姓不同。」

掌聲中有個聲音響起——是霍許：「採金人身上沾滿泥巴，但是在礦坑裡工作那麼久，指甲縫卻乾乾淨淨的，你們不覺得奇怪嗎？」

「啥？」高木停住笑聲：「指甲縫？」

大眼士兵也說：「我也有看到喔，好乾淨的指甲喔，那些人一定是奸細。」

咚的一聲，他的頭盔又被高木K了一下：「你既然知道，怎麼拖到現在才說，還不去追？」

「追？」大眼士兵看看山谷，採金人早不見蹤影了。

「你們該擔心的是那兒。」詩三百指著山稜線另一邊。

廣闊的山區，除了山脈起伏，仔細聽，隱約傳來人馬喧騰。有軍隊埋伏，那剛才的採金人真的是……

「玁狁，是玁狁細作。」高木下令：「兄弟們，拿出武器，準備戰鬥。」

三個士兵連忙戴頭盔，拿長戈，像無頭蒼蠅在烽火臺邊跑來跑去。

霍許好心提醒他們：「你們幾個就能對抗千軍萬馬？」

「敵人雖多，我們不怕。」高木振臂一呼，有著悲壯的氣勢。

霍許搖搖頭：「點烽火啊，這才是你們的責任啊！」

長腿士兵說：「不可能。」

「為什麼不可能？」伍珊珊問。

「太久沒打仗，那些木柴已經拿去……拿去……」

詩三百問：「拿去煮鹿肉了？」

大眼士兵哼了一聲：「你剛剛也有吃喔，而且，誰知道你們是不是和敵人同夥的。」

「敵人都快進鎬京了，」詩三百那表情不像俘虜，倒像是他們的長官，「你們闖大禍了。」

高木惱羞成怒：「哼，多事！」

詩三百搖搖頭，朝樹林招招手，樹林裡鑽出六個士兵：「詩大人！」

高木嚇得倒退一步：「你……你到底是什麼人？」

「我說啦！我是找詩官啊！」他吩咐自

己的手下：「你們快把烽火點起來，那些奸細扮成采金人，一定會混進鎬京去。」

長腿士兵兩手一攤：「烽火臺裡的柴薪都用完了。」

大眼士兵聳聳肩：「而且剛才又下了一陣大雨，想撿柴都沒得撿。」

闊嘴士兵加上一句：「我們不是神仙，怎麼點火？」

「或許，還有方法。」霍許常去露營，他知道：「陶鼎底下還有餘火，樹林落葉底層沒被剛下的雨水浸溼，只要拿它們起火……」

他還沒講完，高木催著手下：「快去，快去，升烽火點黃煙，玁狁軍隊來襲，準備兩面夾擊。」

烽火點燃了，一道黃煙竄上天空。

遠方，另一座烽火臺也跟著升起黃煙。

一座接著一座，訊息傳得好快，山稜線上傳來陣陣鼓聲，戰馬嘶鳴、號角響起，大地像地震般微微搖動……

時空穿越機

采詩官

「採詩」是古代一種重要的制度，那時的統治者很重視老百姓的心聲。他們認為老百姓的詩歌可以反映社會的現象，因此派出采詩官去刺探民情。

為了採集詩歌，周朝特設專門采詩官，這大概是歷史上，最古老的一種文化職業。他們手裡搖著鈴，以採集詩歌的名義走遍天下，就像蝴蝶採集花蜜般，透過采詩官，民間百姓的生活情形可以被官員們了解，他們擔任了那個時代的民意調查員、新聞記者與國家詩歌整理員的三重身分。

采詩官收集回來的詩，除了給官吏做施政的依據，最後還流傳下來，成了我們後人熟知的詩經。

《詩經》是中國歷史上第一部詩歌總集，收錄了從西周初年至春秋中葉五百多年的三百零五篇詩歌，裡頭有好多好美的詩句，像是「窈窕淑女，君子好逑」就是來自詩經；「執子之手，與子偕老」也出自詩經。詩經的美，歷經千年依然讓人讚嘆呢。

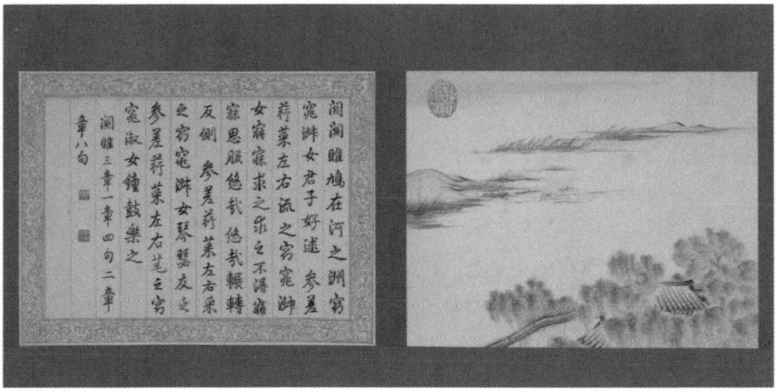

清 乾隆 御筆詩經圖

南宋 馬和之 詩經小雅鴻雁之什 六篇圖

肆 傳說中的毛公

詩三百對一切都很有興趣。

他看著軍隊集結，全力衝刺，趕走玁狁，也認真研究烽火臺的黃煙，看得興起，就像個孩子般又叫又跳，伍珊珊覺得他好有趣，那樣子就像機關王。

「玁狁雖然兵力不強，但是常常侵擾我們。」詩三百說，「如果

沒有烽火臺守望邊疆，他們早就攻進來了。」

山腳上的玁狁退了，混進來的採金人也被抓了。

帶隊的將軍，發出號令，號角再次響起，士兵騎著戰馬，追逐四散的敵人。

詩三百這下終於可以專心研究烽火臺，他想到一個問題：

「白天緊急集合點黃煙，大軍來襲燃黑煙，找到失蹤兒童升紅煙，每一種煙代表不同的事情；那晚上的火可以怎麼傳遞訊息呢？」

詩三百在烽火臺裡鑽來鑽去，不懂的地方就拉大眼士兵來問。

可惜，大眼士兵學問不高，十問九不知。

霍許雖然第一次來這裡，但他有自己的想法：「光的速度比聲音快，可以燒不同數量的火堆啊……」

「咦？」詩三百緊緊抓著他大叫：「你剛才說什麼？」

「我嗎？」霍許嚇一跳：「我剛才說，光的速度比聲音快，可以燒不同數量的火堆，咳……你放手，我快要不能呼吸了。」

「光的速度比聲音快，這句話真好，真是天才，天才，你應該當大周朝的軍事研究官，你們一定要跟我回去找毛公。」

「毛公？」他們兩人相互看了一眼，「毛公鼎？」

「沒錯啊，毛公家有鼎，」詩

三百沒聽出他們的訝異：「他是當今世上，最高等級的貴族，吃飯時有七個鼎，你們說，毛公府裡的鼎多不多？」

「多！」他們忍不住相互擊了個掌，沒想到任務這麼輕鬆就可以達成，只是幫忙點起烽火臺就能見到毛公，這樣他們就能找到毛公鼎了。

詩三百有馬車，一匹黑馬拉的車，這種馬車要從後頭爬上去，車上也沒座位，要站著。詩三百炫耀的說：「這可是今年春天剛做好的車，大周國一年限量生產五十輛，不是天子重用的人，哪有

車坐呢。兩位靠邊站，新車比較顛，你們拉緊板子，就不會摔下去，不過，摔下去也沒關係，大周馬車廠提供人員摔倒的醫療費，而且他們還保證新馬車一年內可以無限次更換零件。」

「馬車有一年保固？」霍許問。

「當然啦，站好囉，有沒有感覺——站得高，望得遠，也方便跳。」

「跳？」伍珊珊正想問，馬車動了，震了一下，車上的人都跟著跳了一下。

這個年代的路況不好，路是泥濘的土路，小石子和坑洞多，車子遇到它們，就會震動，一下子

震震震，一下子跳跳跳，馬車還沒走下山，伍珊珊的腳都麻了。

「你的車是木頭輪子，沒彈力。」霍許建議他：「裝上避震器，坐起來才舒服。」

「避震器？」詩三百挑高了眉毛問：「那是什麼？」

「那是一種彈簧。」

「什麼是彈簧？」

「嗯……彈簧是一種鋼圈。」

「什麼是鋼圈？」

「鋼圈啊……」

霍許發現，跟這時代的人聊天，實在很費勁，好多東西他

們都沒聽過。接下來這一路，詩三百發揮他找詩時堅毅不撓的精神，不斷纏著霍許，要他想想如何用西周時代技術，做出青銅器的避震器。

伍珊珊沒捲入這場問答，因為車外景色讓她著迷。

大雨停了，陽光灑落人間，路上的小坑，映出一畦畦藍天，彩虹搭在兩山之間，四周都是原始樹林，偶爾還可以看見猴子或鹿的身影。

下山後，路邊開始出現人家，矮矮小小的屋子，原來有一半是挖進地底，也有些人家沿山壁挖洞居住。那些屋子不大，歪歪斜斜的門，乾草鋪的屋頂。路漸漸大了，路邊有河，住了更多人家。

大河彎彎曲曲，河上有木船，有人用網捕魚，不斷有孩子加入馬車的行列。他們邊跑邊叫，跑累了，停下來，咬著指甲，呆呆望著霍許他們。

伍珊珊朝他們揮揮手，他們就繼續追來。

跑著跑著，震著震著，馬車漸漸接近一座城。

那座城越近越顯得高大，城牆約有四、五層樓高，士兵把守著，他們見到詩三百的馬車，急忙行禮，趕走行人好讓他們通行。

城裡的屋子多半建在臺子上，看起來像樣多了。有塊空地上正在蓋一棟大屋，它的臺子更高，梁架也比四周的屋子宏偉。

屋子四周是密密麻麻的工人，運土的小車排成一列，發出軋軋聲響。小車上的土石倒下去，也不斷傳來轟啦啦的聲音。成排的人拿著木棍，一邊敲打土石，一邊發出短而強烈的吆喝聲，那聲音也像一首歌謠。

「這真是個愛唱歌的時代。」伍珊珊想。

馬車穿過一戶人家的大門，經過兩旁是長長走廊的院子，終於停下來，伍珊珊第一個跳下車，揉揉發麻的雙腿，發現院子正中有間寬大的屋子，屋子前一列陶盆，種滿了花。

屋子裡，沒有桌椅，最前面擺了臺子，也有幾張長形的席子。

陽光從窗戶間斜射進來。

另一邊屋出來幾十個人，走在最前面的，是個帥帥的年輕人，年紀看起來不會超過三十歲，留著帥氣的小鬍子，衣服很華麗，上頭繡滿花紋。

詩三百拉著他們彎下腰，朝著那個小鬍子喊：「毛公，我回來了。」

「三百，他們是哪裡來的小客人？」毛公問。

「可能小學。」霍許說。

「五年愛班。」伍珊珊說。

「毛公沒問你們，不能自己答話。」詩三百低著頭向毛公解釋：「他們是平民，請毛公別介

意，他們不懂規矩。」

「沒關係，你這回有採到什麼歌？」

「不少呢，這位伍珊珊小姑娘還會唱歌。」詩三百說：「除了唱歌，他們也幫烽火臺士兵嚇跑玁狁。」

「嚇跑敵人，那就是小英雄囉。先來用餐吧，今天不但有小英雄來，更有新歌聽，我喜歡。」

毛公說話時，霍許偷偷打量他，原來，毛公並不是個老爺爺，他的年紀不大，看起來比詩三百還小，臉上的兩撇小鬍子像是為了裝成熟用的。

吃飯的地方在隔壁大廳，那裡幾乎有一個籃球場大，

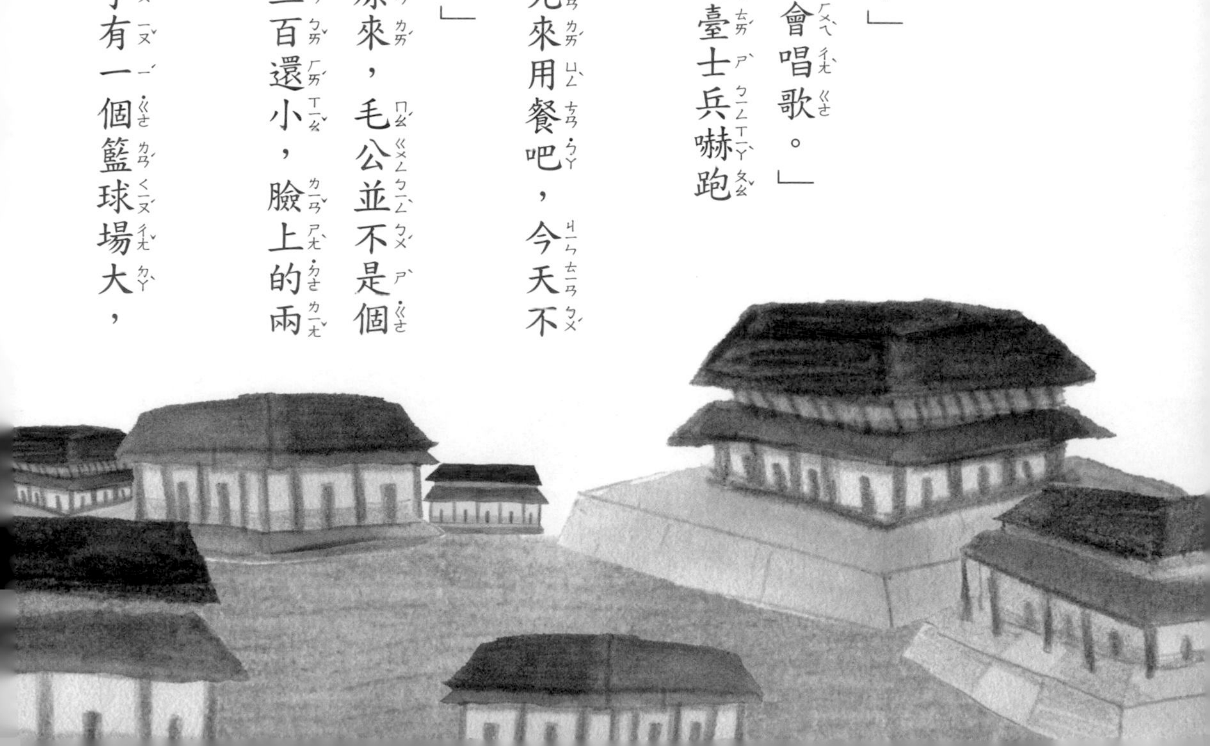

右邊擺了三面架子，架子上吊著金光閃閃的鐘。

伍珊珊見過這種鐘。她輕聲跟霍許說：「那是編鐘，右邊還有磬，太壯觀了。」

「它們比較像好吃的吊鐘燒。」霍許笑著說。

這裡的鐘有大有小，大的有半人高，小的也比他的書包大，磬比較像魚，後面還有銅鼓，這麼多樂器，簡直像樂團。

伍珊珊知道那是古代的樂器，但她可沒看過編鐘怎麼演奏。她研究編鐘時，毛公在另一邊的席子坐下，招呼他們：「三百，帶兩位小英雄坐下。」

霍許學著詩三百用跪姿坐下，他很想問：「椅子呢？」但其他人好像都坐得很習慣，沒人露出不耐煩的臉色。

編鐘前來了幾個姑娘，她們相互點點頭，一個姑娘拿起小金槌，在編鐘上頭敲一下。

噹——

聲音清脆。

其他姑娘的金槌也加入敲擊了。

叮叮咚咚——

大的編鐘用木杵撞，聲音低沉渾厚。

編鐘有三面架子，每一面都有三、四層，敲打的人負責自己身邊那幾個鐘，一首音樂，就動用了九個人。

伍珊珊第一次看人敲編鐘，她想，回家後，一定要跟爸爸說。爸爸研究國寶一輩子，應該沒看過編鐘敲擊，一想到這兒，她忍不住摸摸口袋，哎呀，手機放在書包裡了，否則，錄一段影片回去，更有說服力。

姑娘們敲擊編鐘時，僕人們陸續端出一個個金光燦爛的器皿，伍珊珊激動的喊著：「鼎，那些都是鼎！」

玁狁與細作

如果你是周朝天子，會讓你煩惱的事情會是什麼呢？

相信「玁狁」會是前三個讓你傷透腦筋的事之一。這是一支遊牧民族，就住在你的北方邊界上，只要你的軍隊一不注意，他們就會騎著馬入侵，在周朝，這樣的遊牧民族被叫做玁狁、戎狄，戰國之後，統稱他們為「匈奴」。

為了防備玁狁，周天子要派兵防守邊界，要修建烽火臺，為了防備匈奴，戰國時的國家還要建長城，希望用長城擋住這些游牧民族。

玁狁居住的地方寒冷貧瘠，溫暖的南方，對他們有致命的吸引力，想要入侵中原。當然得要派人來刺探軍情，古代把情報人員叫做細作，也有叫做探子、間諜。

兩國交戰，不是只靠鎗砲弓箭的，在看不見的地方，更有無數的情報人員穿梭較勁，從古至今，這些細作或探子們為國犧牲的故事所在多有，若拍成電影，絕對會像《007 情報員》或《不可能的任務》一樣好看。

周武王

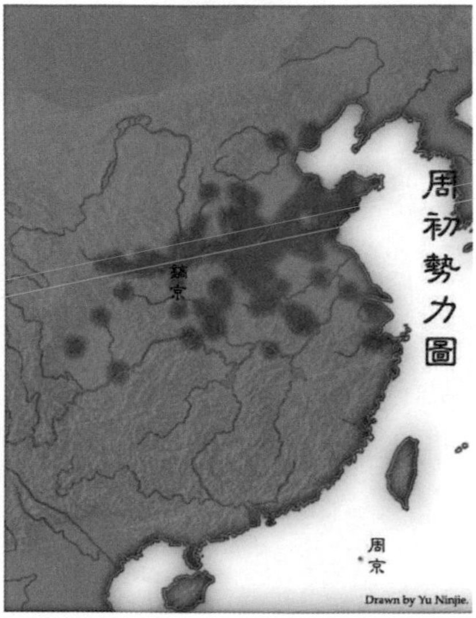

西周疆土

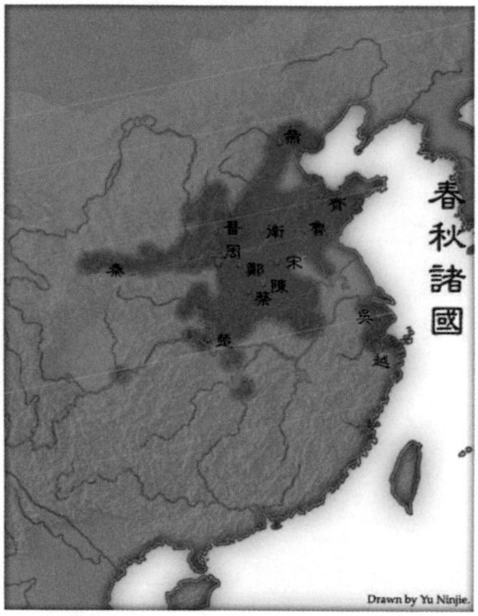

東周疆土

伍 司禮官規矩

伍珊珊記得機關王給他們的任務是：「毛公鼎被盜走了，必須依線索，把鼎找回來。」

「這裡有七個鼎，毛公的鼎全都在啊。」伍珊珊說。

「對於不明白的事，最好走近一點看。」霍許站起來，正想走過去，有一個男人對他們喊著：「注意禮節，注意禮節。」

霍許問：「什麼禮節？」

「用餐坐正，靜默不語。」那個男人的眼睛又細又長，乍看有點像狐狸。

「吃飯時不能說話？」

那個狐狸男翻翻白眼，不理他們。

霍許很想找到毛公鼎完成任務，但只要他稍稍一有什麼動作，狐狸男立刻用眼神制止他，彷彿在警告他們：「別動，別說話，別站起來。」

「那些鼎應該不是毛公鼎。」霍許趁狐狸男不注意，輕聲告訴伍珊珊，他看過可能小學密室逃脫的簡介，「毛公鼎是青綠色的。」

「銅會生鏽，經過幾千年，金色就變成青綠色了啦。」伍珊珊還在解釋時，僕人們已經把器皿排好了。三條腿的鼎很好認，還有一種長方型的「簋」，伍珊珊告訴霍許那是用來裝飯的。僕人們擺上六個簋。

僕人們擺好食器，開始上菜了。肉類放在鼎裡；米飯放進簋裡，蔬菜有蔬菜的盤子，水果放在水果的盤子裡，還有沾醬，各式各樣的沾醬，就像去自助餐廳吃飯一樣，盛在一個個像燭臺的容器裡。

最後，一個婢女端了一個盤子給他們，裡面的湯是透明的。霍許喝了一口：「是清湯，原來西周人就這麼養生了。」

「清湯？」那婢女說，「那是請貴客洗手的水。」

「洗手水？」

那婢女點點頭，強忍著笑，等他們洗了手，還幫他們挾菜，一人一份，就像在高級餐廳用餐。

毛公比個請用的手勢，大家這才開始用餐。

吃飯時，編鐘的音樂變了，樂手敲得慢慢的，悠揚緩慢。

伍珊珊問：「這麼悶的聲音，你們不怕胃痛嗎？」

「對啊，我胃痛了，好痛啊。」毛公假裝的聲音，引得大家都笑了，只有狐狸男高聲喊著：「靜默不語！」

毛公笑了笑：「規矩，你坐下來吃飯吧，他們只是平民，禮

不下庶民，說說話，不礙事。」

原來狐狸男的名字叫做規矩，霍許心想，難怪做人做事這麼一板一眼的，就像現在，主公求情了，他還是憤憤不平：「我是司禮官，負責府裡的禮制。」

「吃飯不說話，還有什麼樂趣。」霍許建議：「用餐的音樂應該輕快些。」

規矩哼了一聲：「平民百姓，哪懂禮呢？我朝自周公制禮作樂以來，貴族吃飯就是這種音樂，毛公是大臣，更要遵守禮制，凡夫俗子，豈懂貴族進餐時的典雅與雍容……」

霍許打斷他的話：「不能改嗎？我最近學了一首曲子。」

規矩的頭搖成波浪鼓樣子：「我朝自周公制禮作樂以來……」

霍許的手舉得很直，說話前要先舉手，這禮貌他知道：「我可以敲敲看嗎？」

「與禮不符。」規矩反對了。

霍許的手舉得更高了：「我學過鐵琴，我會敲。」

毛公也說：「規矩，讓他敲敲無妨。」

「主公，自周公制禮作樂以來，刑不上士大夫，禮不下庶人……」

什麼刑啊禮的，霍許和伍珊珊聽得一頭霧水。

毛公微笑：「你自已都說了，禮不下庶人，這兩個孩子就是庶人百姓，何必講究這麼多規矩。」

「您身為貴族，更是重臣，明日就要接任太師……」

「就這麼一次，行了吧。」毛公朝霍許點點頭：「請演奏。」

霍許開心的跳起來，跑過去，後頭傳來規矩絕望似的聲音：「用走的，用走的，行走有度。」

「是！」霍許接過小槌，輕輕一敲：「這是RE，伍珊珊，你還不快來啊。」

伍珊珊被他一點名：「我也可以去敲嗎？」

毛公點點頭，伍珊珊「耶」了一聲，衝了過去。

禮制與樂

原始時代，人們還不懂得豢養家畜，也不會種植作物，每天光想要填飽肚子就不容易了，哪有時間去想到什麼餐桌禮儀的，對不對？

周朝之後，周公開始幫大家制禮作樂，社會上的禮儀制度才建立起來，人與人的相處才有了規矩，比如子女與父母的相處有什麼禮儀，天子與大臣見面有什麼講究……禮儀制度建立起來，社會就跟著有了秩序，比如吃飯，周天子吃個飯，要用九個鼎；而一般貴族最多只能用到七個鼎，往下依此類推。我們現在看這些制度覺得非常封建、不可思議，但在當時，卻是人人遵守的社會規範呢。

除了生活禮儀，聽音樂也有講究的，喪禮的音樂與嫁娶的音樂就不能相同，用餐的音樂與祭典的音樂也不能一樣。吃飯按階級，人與人交往按禮儀，周朝建立的制度經過歷代改革，成為我們現在生活的樣貌，是不是很神奇？

周公像

陸 歡樂頌

「敲什麼呢？」

霍許和伍珊珊對看一眼，點點頭，在編鐘上敲出歡樂頌。

這是學校剛教的曲子，是要在聖誕晚會表演的。他們最近練得勤，

霍許一敲，伍珊珊自動跟上。

其實，歡樂頌還要再過很久很久以後才會被貝多芬譜寫出來，但

伍珊珊發現，此時整個大廳的人都在輕輕點著頭。他們應該很喜歡這首曲子，除了狐狸臉的規矩。

編鐘像大型的鐵琴，琴鍵是一個個的吊鐘，他們很快就找到訣竅，敲時要手眼協調，還要快速移動身體，但他們默契好，只錯了幾個音，敲完一遍後，負責另兩面編鐘的姑娘，竟然配合他們開始敲擊。一時間，聲勢浩大，高低音配合得那麼好，不管是磬，還是銅鼓，每個音符、音階都對了，節奏也沒錯。

伍珊珊很好奇：「你們聽過這曲子？」

「我們聽一遍就記住了。」圓臉姑娘提高音量，「這曲子不難。」

「我從沒聽過這種音樂呢。」毛公不禁讚嘆：「好聽。」

「放肆，毫無規矩！」門口傳來一陣咆哮，一個身寬體胖的人吼著：「規矩，你睡著啦，這成何體統？」

所有的音樂，同時停住，除了伍珊珊，她動作較慢，多敲了一下，咚的一聲。

偌大的宴客廳，突然安靜無聲。

「貓侯！」屋子裡的人同時喊著，大家都退到一旁，好像很害怕的樣子。

這個叫做貓侯的男人，大

步走進來，對著毛公說：「尊貴的毛公，你怎能容許這種事呢？」

貓侯一副來興師問罪的樣子。

「我在家裡讓小孩兒敲敲玩玩，沒事。」

貓侯聲音大：「天子即將把管理國家，率領軍隊，以及治理百姓的太師責任託付給您，您要做起榜樣，怎能如此任性，如果天子知道了，這還得了啊。」

毛公嘆了口氣：「兩位孩子，謝謝你們的演奏，今天先到此為止吧。」

伍珊珊垂頭喪氣的回到座位，宴會廳裡，又響起原來那種催人睡覺的曲子，突然她感覺袖子被人扯著——是霍許。

「怎麼了？」

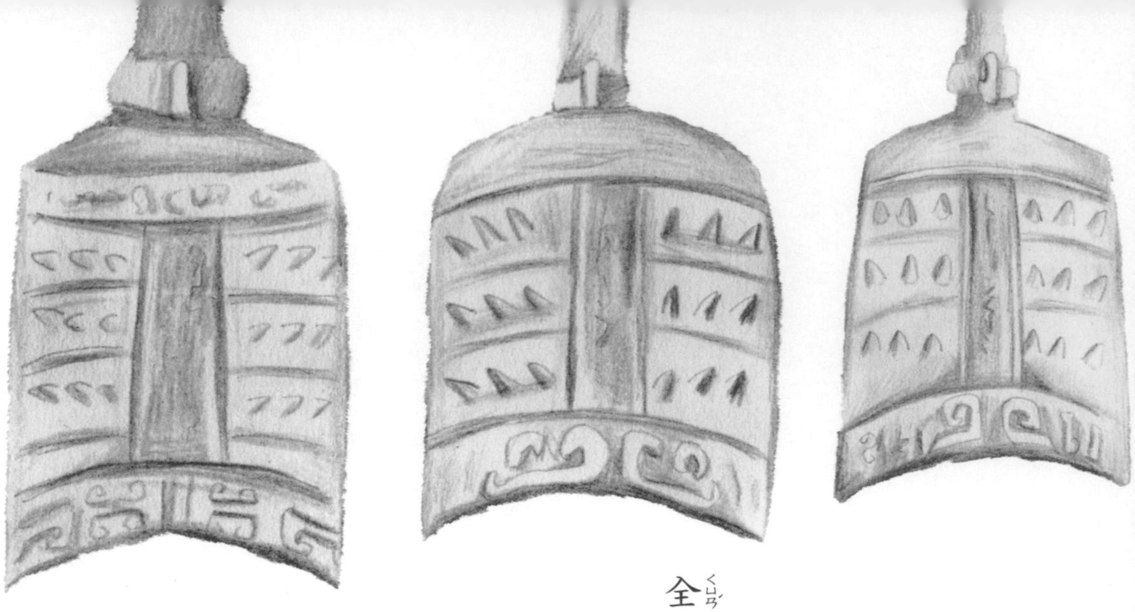

霍許用手指畫了個圓後，又比了個零的手勢。

伍珊珊搔搔頭：「什麼意思啊？」

「我說，」霍許的聲音壓得低低的：「七個鼎全都沒刻字。」

「你怎麼知道的？」

「我來回看了兩次，都沒看到字。」

伍珊珊十分佩服：「原來你敲鐘是為了去找毛公鼎？」

「不知道毛公鼎放在哪？」霍許低聲的看看宴客廳，這裡只有那七個金光燦爛的鼎，和咄咄逼人的貓侯。

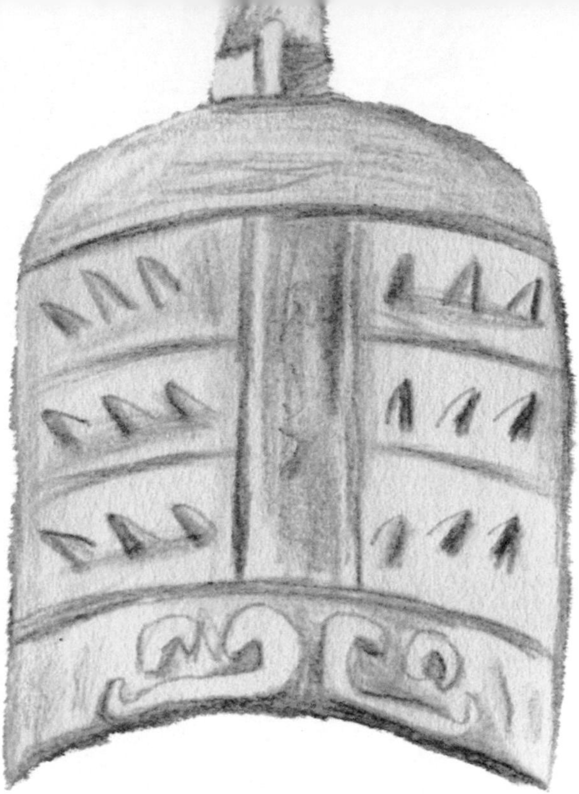

「天子讓我來請問您，明天就是冊命大典了，您的鼎鑄好了嗎？」他的話表面說得好像很客氣，可是話裡全帶著威脅的味道。

這真是太巧了，一聽到「鼎」，霍許和伍珊珊連忙豎起耳朵。

毛公轉向詩三百問：「冊命寶鼎做得怎樣了？」

詩三百連忙站起來：「啟稟毛公與貓侯，這鼎是三個月前向鎬京最好的金花朵朵開工坊訂製，他們保證全力趕工，今天可以交件。」

「那就麻煩三百替我走一趟，把鼎帶回來。」

「這麼說，我也得去看看。」貓侯說，「天子吩咐的事，一定要眼見為憑。」

霍許問：「我們可以去嗎？」

規矩照例搖頭，毛公卻笑著說：「規矩，禮制沒有規定庶民不能上街吧？」

「那倒沒有。」規矩退了回去。

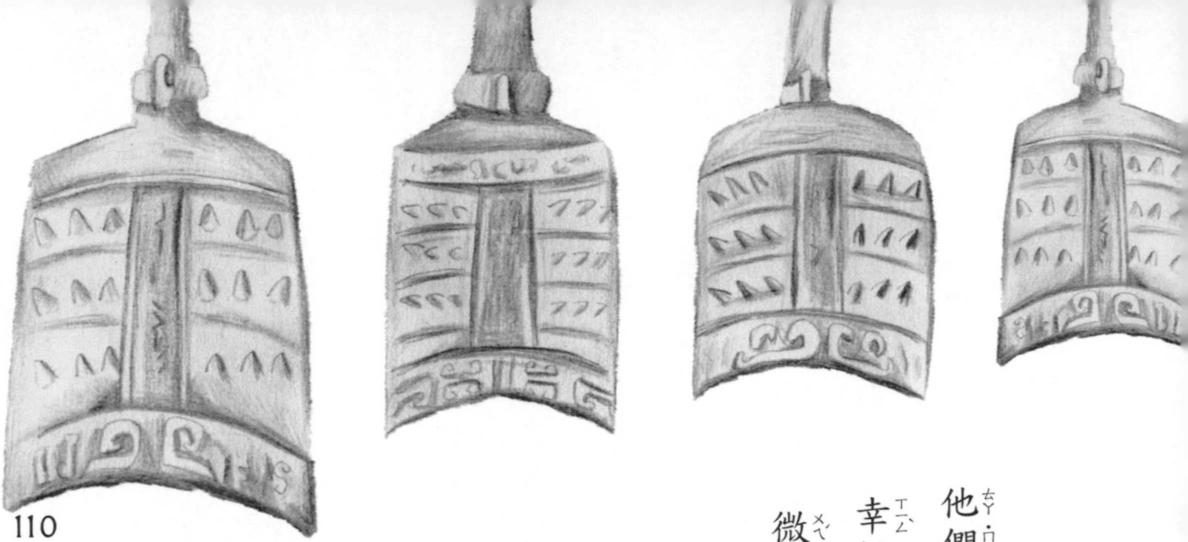

「太帥了。」霍許興奮的和伍珊珊擊了個掌。不過，他們喊完才想到，不知道在這裡大叫，符不符合禮制，幸好，除了規矩搖著頭、貓侯翻白眼之外，其他人倒是微笑的看著他們。

貓侯的馬車很豪華，四匹白馬拉的車，車廂的板子上都裝飾繁複的紋飾。他高傲的登上車站著，回頭傲慢的看了霍許和伍珊珊一眼，用鼻孔哼了一聲，貓侯的馬車夫嘖了一聲，馬車動了起來。

幾個小孩從路邊衝出來，想跟著馬車跑，都被車夫的鞭子給打退了。

詩三百的馬車緊跟在後頭，樸素簡單的樣子顯得格外寒酸，但是詩三百很有志氣：

「等我哪天變成侯爺，我也要買一輛那樣的車。」

霍許建議：「記得裝避震器。」

「如果我的車裝了屁陣器……」

「是避震器，可以讓你舒服一點，對了，還有座椅，你看，貓侯的車也沒有座椅呢。」

「座椅？那就太好了。」詩三百的手比劃著，要在這裡裝椅子，那裡裝席子，再加個屁陣器，「嘿嘿嘿，全大周都沒人比得上，別說貓侯，天子都沒有我的車享受。」

伍珊珊聽他說的那麼興高采烈，那模樣簡直和機關王沒兩樣。

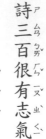

每次機關王一談到這些機關、設計，表情就像這樣……

難道，機關王也喬狀打扮到西周了？

「小姑娘，等我的馬車變好了，你也來坐坐。」詩三百看見伍珊珊笑了，渾然不知她在想什麼。

柒 金花朵朵開工坊

金花朵朵開工坊的大門宏偉，門的兩邊各有一個巨大的鼎，一個是四條腿方型的，一個是三條腿圓型的。伍珊珊和霍許經過時，仰著頭，才能看清鼎面花紋。

「有雲雷紋，也有龍紋，好精緻喔。」伍珊珊一看見這些紋路，忍不住嘀嘀咕咕，「我上回去故宮，那個導覽的姐姐……」

門裡傳來敲敲打打的聲音，穿著藏青長袍的男人見到貓侯立刻趴在地上行禮：「侯爺大駕光臨，帶給金花朵朵開工坊無上榮光。」

「金小器，起來，馬屁就別拍了。」貓侯雖然這麼說，臉上卻顯得很開心：「咦，你還不請我進去啊？」

「哎呀，小的該死，侯爺請進。」金小器連忙爬起來，討好的語氣說著：「侯爺來金花朵朵開工坊，一定有值得慶祝的事，是不是天子要升您爵位了？跟侯爺稟報，您升為貓公的七個寶鼎，小的早早備妥材料，立刻就能開模製作。那樣式，絕對是全周朝第一；工序，保證經過一百個熟練金匠敲擊，摸起來，像絲綢般柔順。」

「七個寶鼎？」貓侯好像很討厭聽到這件事：「我可沒毛公那種僥倖的運氣。」

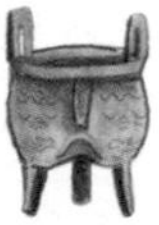

「侯爺真是太謙虛了，您福星高照，大駕光臨，如果不是要做寶鼎，是不是要訂製點其他的金器？」

一旁的詩三百說：「我奉毛公的命令，要來取冊命寶鼎，侯爺是來看看你有沒有在鼎裡偷加惡金？」

「不敢不敢，小的跟天神借再大的膽子，也絕不敢摻入一絲一毫的惡金，小的以金花朵朵開工坊的所有螞蟻做保證，如果有一點點惡金的話，就把牠們全都抓去砍頭。」

「諒你也不敢。」貓侯好像沒聽到他說什麼以螞蟻頭做保證的話，哼了一聲。

金小器又說：「冊命寶鼎是大周國大事，早已完工，放

在寶器庫裡。諸位請跟我來，毛公為天子做事盡心，我為毛公做事盡力，歷代公爺，就屬毛公的冊命寶鼎最精緻，字多到數不清！」

「刻了數不清字的毛公鼎？」伍珊珊和霍許的眼睛一亮，兩人擊掌：「任務達成。」

詩三百不明所以，看他們擊掌，跟著伸出手，霍許只好跟他拍了一下：「耶！」

貓侯回頭怒瞪他們一眼，霍許急忙把手縮回來，忍不住在他背後扮了個鬼臉：「真是個凶巴巴的大人。」

金小器是認真的商人，他邊走邊介紹：「冊命寶鼎上頭的字是在泥模上刻好字，工匠一筆一筆慢慢切削、

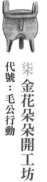

揉捏，動用了金花朵朵開工坊六個一級工匠，耗費一個月，才把字刻好呢。灌漿則是特選精煉吉金與不同比例的錫，啊，這些侯爺一定早就知道了。」

貓侯哼了一聲，似乎聽得不太耐煩。

伍珊珊卻問：「你剛說到吉金和錫的比例，所以裡頭要加錫？」

「沒錯，這位小姑娘是誰呀？太面生了。」

詩三百解釋：「這位小姑娘和那位小兄弟立了軍功，是毛公的貴客，今日陪侯爺來取冊命寶鼎。」

「哎呀，真是年少出英雄！」金小器的口氣立刻變了，「難得小姑娘對寶鼎配方有興趣，說來也沒什麼祕密，吉金和錫的比例，一般六一出，但是毛公是何

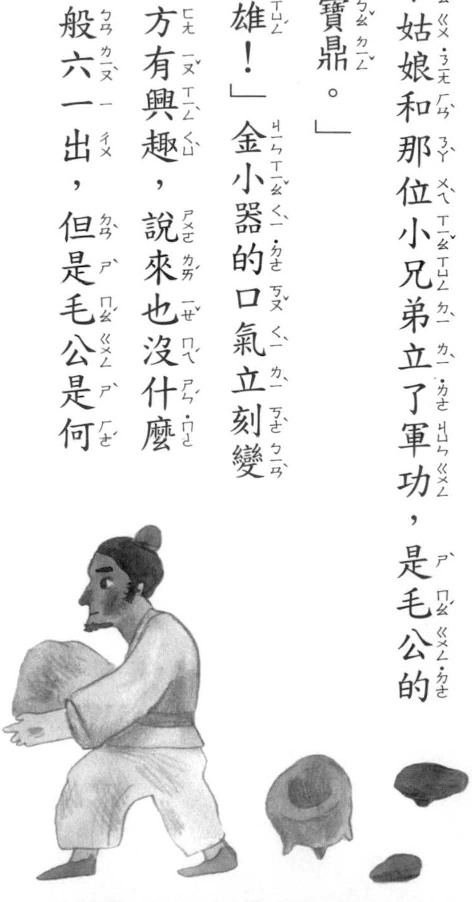

許人，他的冊命寶鼎當然有所不同。我們金花朵朵開工坊選的是北方吉金，是六五比三五！」

伍珊珊聽得好開心，她聽爸爸說過，毛公鼎內的字怎麼刻上去、材料比例是如何，考古學家至今還沒有定論，今天卻有機會聽鑄造者講解，一個講，一個聽，不知不覺兩人就走到最前面。

金花朵朵開工坊很大，他們路過許多工作間，裡頭堆滿了陶土、模板，院子有好多高聳的爐子，吐出長達天際的赤白火舌，工人忙著在旁邊送柴，倒礦石，熔化了的銅液冒出紅紅的火花，流進一個個模子裡。

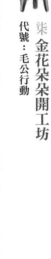

有的工作間傳來敲擊金屬的聲音，鏗鏗鏘鏘。

工匠們敲擊時也唱歌，一個人起了頭，四周的工人就跟著唱。

唷嗬里——唷

唷嗬里——唷

詩三百搖著手鈴：「這些曲子好，如果編成歌來唱，更好。」

詩三百喜歡研究的東西太多了，高爐的構造、銅器的模型，甚至是工人的工具，每一樣他都感興趣，

霍許常被他拉著停下來研究。

「真像個長不大的大人。」霍許突然想起一個人——機關王。

一想到機關王，霍許精神來了，詩三百的神情和機關王有點像，走路擺動的樣子也像，還有……他正想著機關王的樣子時，不知道哪裡傳來「哐啷」一聲。

詩三百停下來。

「怎麼了？」霍許問。

詩三百的手鈴停下來，「有人在哭。」

時空穿越機

採金人，採什麼金？

古代的採金人採的是黃金嗎？

別誤會了！

考古學家將人類的發展，依據生產工具與武器的材質，簡單分成：石器時代、銅器時代與鐵器時代。

我們在故宮博物院裡看見的青銅器，就是銅器時代的證明。青銅器，古時候稱為「金」或「吉金」。而鐵器呢，那時的人把它稱做「惡金」，並不是鐵器不好，或是會帶來惡運，而是因為大家還不知如何利用它，所以稱為惡金。

如果回到銅器時代，你會發現，那個年代的人們生活上的鍋碗瓢盆、戰場上的刀鎗箭矢都是使用這種金光閃閃的「吉金」，看起來是不是很闊綽呢？

或許你會有這樣的疑問：為什麼博物館裡的青銅器不是金色的呢？

那是因為它們製作的年代離現在都很久遠了，隨著時間流逝，漸漸的，這些青銅器都布滿青綠色的銅鏽了。留存至今的青銅器，樣式渾厚、紋飾繁複優美，是那個時代最具代表性器型，臺北故宮博物院就有收藏許多青銅器，等著我們去欣賞喔。

西周晚期散盤（故宮博物院典藏）

毛公鼎（故宮博物院館藏）

商後期子爵（故宮博物院館藏）

捌 釣虎驪山

風在吹，雲在跑，遠遠的地方有人尖尖細細的哭著。

是誰的哭聲啊？

他們轉過長廊，荷花池邊有棟大屋，人們圍著一個渾身發抖，臉色蒼白的小姑娘。

金小器問：「你們誰來告訴我，這裡發生什麼事？」

「有……有賊。」那個姑娘的聲音微微的抖。

「老爺，賊跑了。」其他人補充。

「有飛賊進了寶器庫。」

僕人七嘴八舌的說著，金小器也急了：「到底是誰先發現賊的？」

「她！」僕人指著一個小姑娘，「老夫人房裡的銀娘。」

銀娘的皮膚白，眼淚像小珍珠，撲簌撲簌往下掉。

詩三百安慰她：「別哭，別哭，慢慢說。」

「我……」銀娘看看大家，吸了一口氣，緩了緩後才說話：「夫人讓我來摘荷花，人家還沒摘到花，就聽見寶器庫裡傳來一陣聲音，人家問：『誰在裡頭，別嚇我……』誰知道人家一問，那扇門就被人用力推開，有一個黑衣服的蒙面人，手裡不知道抱了什麼東西，他把

人家撞倒，跳牆跑了，人家一哭喊著有賊，你們就來了。」

「那個賊偷了什麼東西呢？」貓侯問。

僕人們七嘴八舌：「剛才只聽到有賊。」

「一時情急，沒去檢查。」

金小器推開眾人，跑進寶器庫，沒多久，他在裡頭大叫：「糟啦！」

「什麼事？」貓侯問。

「毛公的冊命寶鼎不見了。」

「這下子，看毛公怎麼向天子交代？」貓侯好像很興奮，搶先走進去。

霍許跟到裡頭，屋裡有十幾個架子，架上擺滿做好的成品，中間有個地方明顯空了。

金小器指著那個地方：「侯爺，冊命寶鼎被盜了。」

貓侯冷笑著：「毛公明天就要上任，冊命寶鼎卻被人盜走，冊命大典還能舉行嗎？」

詩三百也很緊張：「沒有冊命寶鼎，大典該怎麼辦？」

貓侯很激動：「天子若是動怒了，別說金花朵朵開工坊倒楣，毛公連冊命寶鼎都護不好，太師的職位還能保嗎？」

他一說，大家都擔心了：

「怎麼會有這樣的小偷？」

「他什麼都不偷，只偷毛公的鼎？」

「現在去哪裡找鼎呢？」

人心惶惶的寶器庫裡，只有霍許的手舉得高高的。

貓侯很不耐煩的問：「什麼事？」

「寶鼎還在這裡！它還在這兒。」

霍許的聲音不大，但在他連說了兩次後，屋裡的聲音漸漸小了，眾人的目光漸漸聚集在他身上。

「寶鼎還在？」眾人的聲音鬧哄哄：「小兄弟別胡說。」

「幾十個人，上百隻眼睛，冊命寶鼎在哪兒呀？」

霍許不慌不忙，走到銀娘面前：「你摘荷花時聽見小偷的聲音？」

「是啊，人家聽到聲響，才剛走近門邊，那個人推門撞人家，人家不知道他抱的是冊命寶鼎，如果人家知道，一定想辦法攔住他。那個黑衣人翻牆出去，人家大叫，阿喜哥就去追了……」

阿喜哥是個壯碩的家丁，他說：「我聽到聲音趕過來，銀娘說有小偷，追到外頭，前後繞了一圈，只在牆邊找回這個尊。」

阿喜哥追賊追得滿頭大汗，整件衣服都溼透了，他把一個「尊」交給金小器，金小器看一看又交給貓侯，貓侯哼了一聲，金小器只好把它交給霍許。

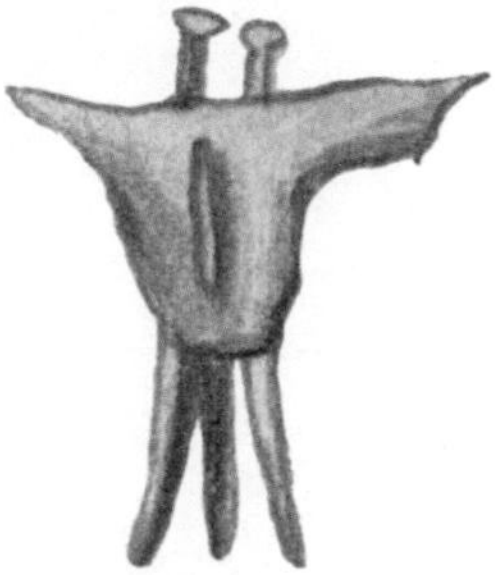

霍許看看尊，看看不懂。

伍珊珊解釋：「這是尊，是一種裝酒的器具。」

這種酒器，伍珊珊在故宮博物院裡看過。

「這真的是我們金花朵朵開工坊的成品，這裡刻了我們的徽章。」金小器說的徽章是一朵金花的圖樣。

「好啊，」貓侯拉著霍許的領口：「冊命寶鼎在哪兒呢？」

「在它應該在的地方。」霍許一點也不害怕。

貓侯放開他：「寶鼎在哪兒，找不出來，你就是小偷的同謀。」

霍許抬起頭，看看大家：「或許在，也或許不在，但是那個杯子……」

「那不是杯子，是『尊』。」伍珊珊再次提醒他。

「那個尊雖然是金花朵朵開工坊出品的，但一看就知道，它不是剛做好的，對不對？至少也用過一陣子了吧？」

金小器點點頭：「大家都看得出來吧，它已經做好一陣子了。」

「寶庫裡都是新的金器，小偷卻丟了一個舊的在外頭，擺明了是調虎離山之計。」霍許說。

「老虎，鎬京城裡怎麼會有老虎。」

貓侯說完，大家全跟著附和：「想看虎，去驪山，那裡才有老虎。」

「對對對，前些日子，有個獵人在驪山釣過一頭大老虎。」

調虎離山變成了「釣虎驪山」，霍許想，或許這個時代的人沒聽過這成語，他改口：「我是說，有人把這個尊丟到牆外，再趁大家追出去時偷寶鼎。」

「這也有可能呢。」

「難怪我們找了半天都找不到。」

「那怎麼釣老虎呢？」

阿喜哥啊了一聲：「原來不是釣老虎，是釣我嘛——我被釣到外

頭去了，你說小偷往哪裡去了？」

「毛公辦事不力，連冊命寶鼎都保護不了，怎麼保護得了大周朝，待我稟報天子，明天的冊命大典可能要延後，這個金花朵朵開工坊……」貓侯說到這兒，金小器連忙跪下：「侯爺，侯爺，是賊啊，賊盜走寶鼎啊，你都親眼看到的啊……」

「親眼看到？我親眼看到……」

霍許聽到貓侯這話，腦裡突然「登的」，有什麼地方閃了一下，他的手指彈了彈，「大家都親眼看到尊，卻沒看到毛公鼎，銀娘只聽到一個聲音，所以鼎……」

他的手又舉了起來：「毛公的鼎，不，我是說，冊命寶鼎真的還

在這裡。」

「瞎說！」貓侯瞪著他：「大家都在這裡，什麼也沒有。」

「侯爺，聽聽他的意見嘛。」詩三百在旁勸著。

「聽個小孩兒的意見？」

「意見不分男女老幼，有用最重要。」詩三百回頭對著霍許眨了眨眼，「小兄弟，冊命寶鼎在哪兒？」

霍許彈了彈手指，停了下來：「我進屋時抱過那些金器，每一個都很重，如果我是他，一定走不遠，或許。他會先讓你們以為冊命寶鼎不見了，然後等大家不搜了，再想辦法拿走。」

金小器問：「剛才銀娘明明看到黑衣人逃走了。」

霍許笑：「不，慌亂之中，銀娘只聽到尊掉到地上的聲音，或許，那賊就躲在牆邊，銀娘一喊抓賊，他再從角落出來陪大家找。」

「所以是內賊？」金小器問。

「誰的衣服全是汗水，誰就可能是賊。」

霍許這麼一說，阿喜哥立刻跪到地上：「我……我天生就比較會流汗。」

「才跑那麼一小段路，就流這麼多汗？」霍許問。

「冤枉啊，冤枉啊！」阿喜哥用手擦著汗時，突然有金光一閃。

「冊命寶鼎在哪裡呢？」貓侯很生氣，拉著霍許：「你說這麼久，寶鼎究竟在哪？」

「或許，小偷就是想讓我們親眼看見寶鼎不見了。但其實，它自始自終都在寶器庫裡。」

玖 毛公鼎的密室逃脫

「在這裡？大家退到外頭。」貓侯指著霍許：「你，就是你！負責把寶鼎找出來，找不出來，你就關在裡頭，別來攪亂大家找冊命寶鼎。」

貓侯一說，大家都走了出去，寶器庫厚厚的門也關上了。

伍珊珊沒跟著走出去，「他為什麼這麼愛生氣？」

霍許笑了笑：「或許，他是在吃醋啊。」

「吃誰的醋？」

「我猜，應該是毛公吧，他的官比毛公小啊。」霍許比個「耶」，「而且這裡又成了密室啦。伍珊珊，你覺得毛公鼎會在哪兒呢？」

「我怎麼會知道呢？而且，我寧願待在這裡不出去，這些青銅器太美了，我的國寶老爸如果能來這裡，一定……」

伍珊珊說到這兒，笑了起來，因為她想像著平時像個老學究的爸爸，來到寶器庫裡，手舞足蹈的樣子。

陽光從天窗靜靜灑下來，白花花的光線，照在閃閃發光的青銅器上，它們雖然叫做青銅器，但剛做好的青銅器，其實和金子一樣耀眼。

再過千年，它們身上就會爬滿綠鏽……

霍許手指彈了一下：「想找毛公鼎並不難，只要懂得觀察，懂得著用賊的心理來想事情。伍珊珊，如果你是賊，你會把鼎藏哪裡？」

「我……我不是賊啊。」

「想像一下嘛，如果你是賊的話，你會把它藏在哪裡？」

伍珊珊看看庫房：「如果我是賊，我會把毛公鼎放進大的金器裡藏起來，就像玩捉迷藏，可是那些大型金器我都檢查過了，裡頭什麼也沒有，和毛公鼎同樣大小的鼎，通通沒刻字。」

「刻字……」霍許點點頭，走到那排鼎前面，一個一個用手摸過，每一個都是光滑細緻，它們都曾被一百個工匠細細敲擊過，除了其中一個，外表並不突出，紋路並不

特別。但是，摸到裡面時，霍許的指腹感覺到一絲異樣。他低頭一看，乍看光滑的表面其實不太平整——沒錯，裡頭多了一層金漆，金漆還沒乾，他輕輕一擦，果然有刻痕。

多擦幾下，出現了一行字，霍許朝伍珊珊招招手。

「你的手指變成金色的了。」伍珊珊笑。

「這個鼎裡有字，剛才阿喜哥的手上也有這種金漆。」

伍珊珊把金漆擦掉，裡頭的字她很熟，因為她每次進故宮，都會先去找找這個老朋友：

毛公瘖對揚天子皇休用作尊鼎子子孫孫永寶用

「毛公鼎，這是毛公鼎，我們找到了。」她興奮的叫了起來。

「我們找到冊命寶鼎了。」他們拍著門，門外明明很多人，但現在卻聽不到一點聲音。

「貓侯，詩三百，我們找到毛公鼎了。」伍珊珊想把門推開，門被人鎖住了，動也不動。

「這裡真的變成一間密室了。」霍許喜歡挑戰，「是真正的密室逃脫啦。」

「難道我們又得找鑰匙了？」

霍許點點頭：「或許吧，我們是用鼎形狀的鑰匙進來的，回去的『鼎』說不定就是這個『毛公鼎』。」

金光燦燦的毛公鼎很重，霍許抱了一下，別說當鑰匙，

想抱著走一步都很困難。

「那怎麼辦啊？」伍珊珊找不到出口。

霍許彈著指頭，在寶器室裡走來走去，有鼎，有簋，有尊，這裡每樣東西都擺得整整齊齊，除了原來放毛公鼎的架子空空的。

「會不會是這裡……」霍許問。

「試了才知道啊。」伍珊珊說。

他們滿懷希望、使勁力氣的把毛公鼎抱起來，挪過去。

咚的一聲——鼎回到原來的位置了。

他們回頭，大門依然緊閉。

「怎麼可能呢？」伍珊珊不死心，走到門邊一拉，咦，她的手才碰到門，她就感覺到了，一股電流，麻麻癢癢從指尖傳來，讓她的表情古怪至極，讓霍許好奇的拉著她：「怎麼了？」

瞬間，霍許也感受到那股麻癢。

門被他們拉開了，讓人頭痛的大風和一道刺得人張不開眼的光朝他們而來。

那是幾乎能把大象吹走的一陣風，霍許和伍珊珊低頭閉眼，蹣跚前進，並且祈禱風趕快停止。

可是風不止歇，風已經吹了幾秒鐘，還是幾分鐘了呢？

呼呼呼的大風吹呀吹，當伍珊珊以為這陣風會吹到天長地久時，風停了。

伍珊珊張開眼睛，她的面前有一張張好奇的臉。

不是士兵，不是貓侯，而是一群穿著藍金制服，臉上露出滿滿笑容的——可能小學的孩子。

「好玩嗎？好玩嗎？」有人問。

「聽說很刺激？」也有人問。

那是一條長長的人龍，伍珊珊和霍許回頭，他們出來的地方，竟然是「代號：毛公行動」密室逃脫的入口。

「回來了？」

「我們回來了？」

他們忍不住開心大叫起來，對著門口所有人喊：「好玩，真的很好玩。」

一隻大手搭著他們，是機關王：「成功了笑嘻嘻，失敗了別喪氣，我設計的機關最有趣，歡迎下次再光臨。」

那聲音有點熟悉，霍許仔細看看他，如果加上兩撇小鬍子，簡直就像詩三百。

但是，詩三百怎麼會從西周跑來這裡當老師？

而且，機關王老師怎麼可能會在西周當官呢？

霍許搖搖頭，和伍珊珊走進可能小學的教學大樓，他想起來，今天班上還有三堂有趣的桌遊課呢。

可能的真相會客室：毛公鼎爭奪戰

：可能真相大公開……

：公開國寶大真相。

：或許你已經讀完可能小學。

：但你知道國寶背後的祕密嗎？

：有請今天的真相嘉賓——咦？怎麼有哐啷哐啷的聲音……

（一陣哐啷哐啷的聲音，由遠而近傳來。突然出現一個身高不到十公分，全身閃耀著金光的鼎跳到大家面前……）

：你是……鼎人？

：不，我叫鼎靈光，是故宮青銅器館裡的小精靈，待在青銅器館實在太悶了，謝謝你們邀請我來，我一定暢所欲言，言而無盡，滔滔不絕，講個沒完沒……

（霍許急忙打斷鼎靈光的話。）

：嗯……靈光小姐，或許您走錯了，我們請的嘉賓是精通青銅器史的專家。

（鼎靈光志得意滿的表情。）

：瞧瞧你說的，這世界上還有誰比我鼎靈光對青銅器的歷史更靈光的呢？沒有！就只有區區在下我，光是我在毛公鼎裡睡了兩千年的資歷，誰敢跟我比？

：吹牛不打草稿。

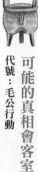

（鼎靈光十分得意的樣子。）

：不信哪，歡迎你出題考我啊。

大名鼎鼎「毛公鼎」

：目前發現最大的青銅器是……

：是商朝的司母戊方鼎，重 832.84 公斤，高 133 公分，口長 110 公分，你也不用再往下問了，我自己告訴你吧——刻了最多字的鼎是陝西發現的毛公鼎，這是周宣王命毛公做鼎，53.8 公分高，34.7 公斤重，上頭刻了五百個字，那些字我也可以全部背出來，上頭說……

（霍許再次打斷鼎靈光。）

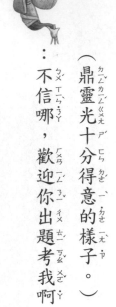

：陝西的毛公鼎？你能告訴大家，毛公鼎是怎麼發現的嗎？

：毛公鼎在1843年被發現，那一天，我已經在地底待了不知多少年了，烏漆抹黑的，除了看起來呆呆的毛公鼎，沒人陪我說話。幸好，那一天，有個農民把我挖出來，他以為毛公鼎是個大香爐，準備拿回家去拜拜。你們說，他這不是有眼不識泰山嗎？

：是有眼不識「毛公鼎」吧！如果他把毛公鼎拿去拜拜，鼎靈光，你豈不是變成神仙了？

：幸好，那個村裡還是有些人有見識，他們見了毛公鼎，知道是寶物，消息一傳開來，天天都有人想來偷毛公鼎，嚇得那個農民急忙用三百兩賣給小販，小販賣給村長，村長賣給大

商人，大商人又賣給了古董店，然後進了一個大收藏家的手裡。這個大收藏家啊……

：大收藏家？

身價水漲船高

：你不要打斷我的話嘛，這人叫做陳介祺，花了一千兩買下毛公鼎。

：哇，一下漲了三倍多。

：陳介祺知道毛公鼎是寶，不敢拿出來，把我和毛公鼎鎖進密室裡，一鎖就是三十年，我又回到了黑漆漆的屋子裡，只有

他最信任的朋友來時，才能偶爾讓我們見一下客。

：難怪你話這麼多，是不是關久了，悶壞了？

：賊丫頭，讓你先去地裡住兩千年，再到密室住三十年，看你悶不悶？

：饒命唷。鼎靈光，不好意思，別生氣，後來你怎麼跑出來的？

（霍許懷疑的笑容。）

：總不會是越獄吧？

：我們又不是囚犯，幹麼要越獄，怪只怪陳介祺一過世，他的孫子就把毛公鼎賣了。

：又賣啦？這回賣多少錢？

（鼎靈光志得意滿的樣子。）

：白銀一萬兩！這可真讓我不得不自滿一下！

：又漲價了。

：才幾年功夫啊。

：毛公鼎是真正的國寶，這回進了兩江總督端方的手裡。

：是個大官。

：沒錯，這個大官故意把這鼎放在大廳，想炫耀財富，可惜，福氣還沒享受到，他就先上天堂了。

：這下，又有很多人要來搶國寶了吧。

（鼎靈光咂咂嘴巴。）

：沒錯，沒錯，那時兵荒馬亂，一下子是記者要來買，一下子是銀行要拍賣，一手換過一手，國寶就像個苦命的孩子，連外國人都想來搶，英國、美國和日本都在覬覦這件稀世珍寶。

：哎呀，你不要越說越可怕，要不是我知道毛公鼎在故宮待得好好的，我都被你的故事嚇出一身汗了。

毛公鼎情報戰

：我可不誇張，有個美國商人就說要出五萬美元買下它，很多人都很擔心，要是國寶流落到海外，再也回不來……

：你怎麼不往下講？

：你要問再來呢？有人問再來呢，比較好說故事嘛。

：你真是怪規矩特別多。

：好好好，那再來呢？

（鼎靈光滿意的口吻。）

：嗯，很好，當時有個大書畫家葉恭綽知道這消息，忍痛賣掉自己的收藏品，籌夠錢了，才把毛公鼎留下來。

：幸好，幸好，國寶終於進故宮了。

（鼎靈光搖頭。）

：錯了，錯了，那時抗戰爆發了，日本侵略中國，葉恭綽帶著毛公鼎到了香港，日本人追來了，他的行動全受到日本人的監視，因為日本人想要毛公鼎，葉恭綽的太太還把消息洩漏給日本人，讓日本人對他更是嚴密監視，我們差點兒就成了日本人的……

：再來呢？你別再吊人胃口了。

：葉恭綽把鼎交給他的侄子葉公超保管，但是沒想到日本憲兵隊竟然用間諜罪名逮捕了葉公超，葉公超受盡嚴刑烤打……

：他什麼也沒說。

：他雖然沒說，但是葉恭綽為了救人就交出毛公鼎。

：如果毛公鼎交出去了，那故宮裡的毛公鼎……

：是假的。

：你說故宮的是假貨？

：不，他交出去的是山寨版毛公鼎，真的毛公鼎在葉家的妥善安排下，最後才回到國民政府手裡。

：毛公鼎的故事簡直就像一部情報戰嘛。

：那是當然的啊，我其實還知道很多故宮青銅器的故事，他們每一個故事……

：或許，我們下回再來聽。

：選日不如撞日，今天我可以詳細說給你們聽……

：但是我們時間到了啊。

：沒關係嘛，我們可以先預錄啊，我是青銅器的小精靈，不用吃飯不用睡覺的，嘿，攝影大哥，你的鏡頭怎麼關起了？嘿，又是誰把燈光關掉了，嘿，你們不可以這樣啊……

（畫面一片漆黑，聲音越來越小……）

（突然傳來伍珊珊尖叫的聲音）

：鼎靈光，你不要趴在我耳朵邊說話，很可怕耶。

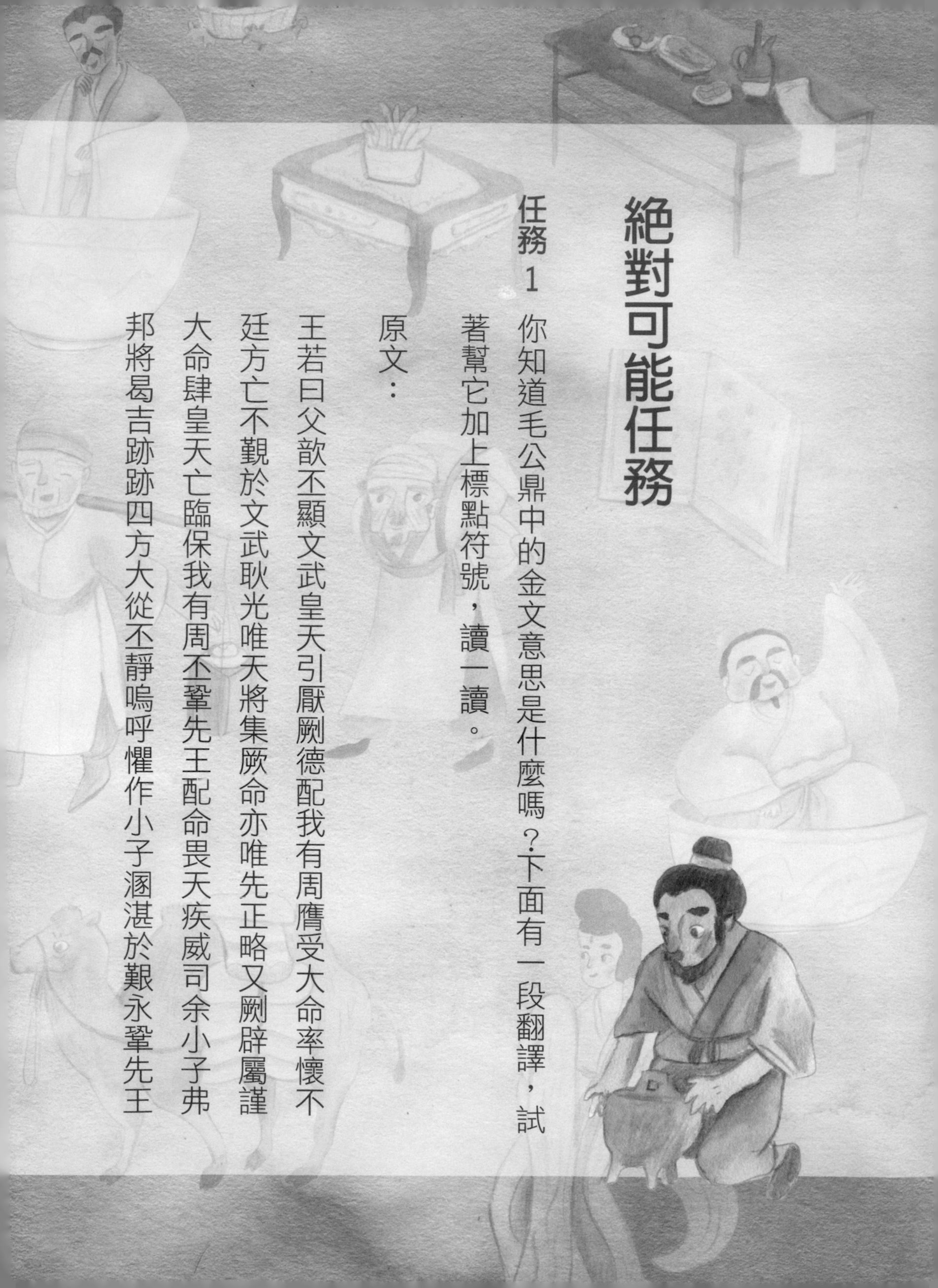

絶對可能任務

任務1　你知道毛公鼎中的金文意思是什麼嗎？下面有一段翻譯，試著幫它加上標點符號，讀一讀。

原文：

王若曰父歆丕顯文武皇天引厭厥德配我有周膺受大命率懷不廷方亡不覲於文武耿光唯天將集厥命亦唯先正略又厥辟屬謹大命肆皇天亡臨保我有周丕鞏先王配命畏天疾威司余小子弗邦將曷吉跡跡四方大從丕靜嗚呼懼作小子溷湛於艱永鞏先王

參考翻譯：

周王說父瘖啊上天大老爺百分之百的滿意宇宙無敵聖明的文王和武王的德行讓咱們大周國得以擁有如此神聖無比的君主我們誠心誠意的接受了上天大老爺的天命沒辦法到朝廷裡來覲見天子的諸侯國也都能在文王武王的恩澤光輝慈愛照耀中上天大老爺收回給前一個朝代的光榮神聖使命轉而交棒給咱們大周國這都是因為世世代代臣子們輔助宇宙無敵勇的國君大家勤奮奉天之命的結果所以上蒼依然守護咱們大周國給予加厚加大加滿的使命但是最近以來敬畏的上天發出憤怒的咆哮目前我沒來得及參透這道天測難題卻知道山川大地野獸作物受到擾亂令我神思不寧因而陷進無窮無盡的憂仇恐懼之中

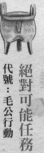

任務2

將左方四張紙條影印，並依一～四順序連接在一起，再用鉛筆捲起來，就可以知道意圖偷毛公鼎的凶手是誰囉！

一

意思是老地圖謀不軌的偷錢是金狗

黏貼處

二

毛不靈光老公主在深海鼎

黏貼處

三

意邊緣底下的工作坊那是小孩功勞

黏貼處

四

阿很高興歡喜我是翻滾哥

黏貼處

絕對可能任務參考答案：

任務一：周王說：「父㾓啊！上天大老爺百分之百的滿意宇宙無敵聖明的文王和武王的德行，讓咱們大周國得以擁有如此神聖無比的君主。我們誠心誠意的接受了上天大老爺的天命，沒辦法到朝廷裡來覲見天子的諸侯國，也都能在文王武王的恩澤光輝慈愛照耀中。上天大老爺收回給前一個朝代的光榮神聖使命，轉而交棒給咱們大周國，這都是因為世世代代臣子們輔助宇宙無敵勇的國君，大家勤奮奉天之命的結果，所以上蒼依然守護咱們大周國給予加厚加大加滿的使命。但是最近以來敬畏的上天發出憤怒的咆哮，目前我沒來得及參透這道天測難題，卻知道山川大地野獸作物受到擾亂，令我神思不寧因而陷進無窮無盡的憂仇恐懼之中！」

任務二：意圖偷毛公鼎的是阿喜哥

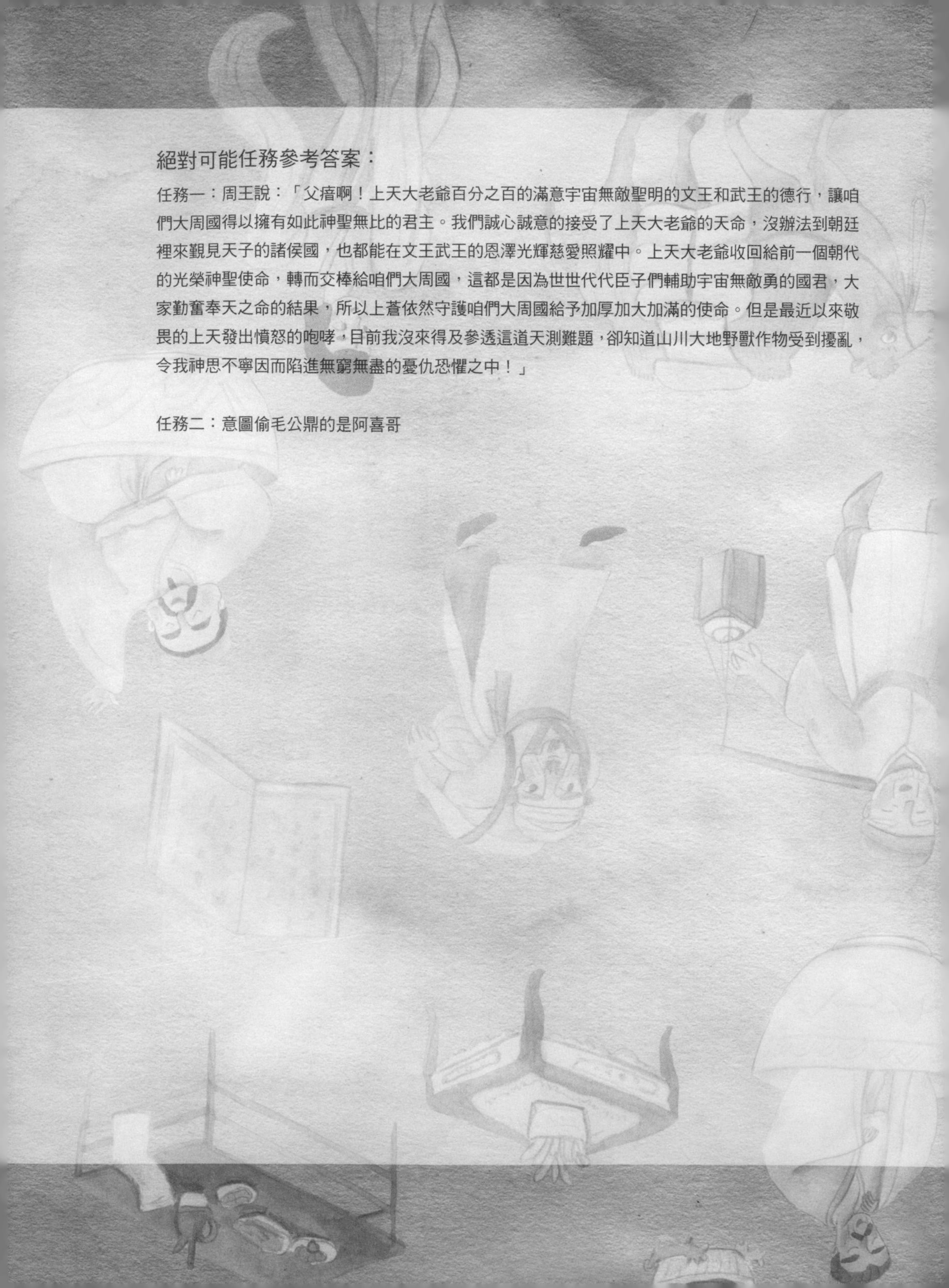

作者的話

當白菜還是白菜的時候

每次上社會課時，比較煩惱的是：很多背景知識無法帶孩子實地去看。

例如教唐朝唐太宗時，該怎樣讓孩子們進入盛唐呢？

進博物館是個好方法。

我曾在湖北博物館見過越王勾踐的劍，沒錯，就是「臥薪嘗膽」的勾踐。也曾在西安的兵馬俑博物館看過秦始皇的地下軍隊，那統一六國的威攝景象。更多的是，在故宮。臺北故宮的國寶，樣樣是精品。

例如帶小朋友去看毛公鼎，看完了，再回到教室細讀鼎裡銘文，一個距我們遙遠的朝代，就在不知不覺裡翩然而至。

於是，西周就和孩子有了連結。

講起烽火戲諸侯的周幽王，講起春秋戰國的歷史，感覺就近了。故宮有兩個，建築在北京，精品在臺灣，我們何其有幸，能這麼近距離的去感受歷史的溫度，於是，起心動念——這次就讓國寶來可能小學上課吧。

我寫毛公鼎，那是銅器時代，一個金光閃耀的朝代，外有玁狁虎視眈眈，內有帝王花天酒地，臨危授命的毛公，如何重振西周？

蘭亭集序大家耳熟能詳，有機會，進故宮去看看它，那是多美好的書法，多歡暢的文字，王羲之活得瀟灑自然，如果有幸讓可能小學帶孩子重回那年春天，會有什麼火花呢？

北京有幅韓熙載夜宴圖，有人說它內藏機密，事關北宋與南唐間的衝突。南唐李後主是千古詞帝，一幅畫竟然能牽連那一段歷史，這場千年前的夜宴，也在這回的可能小學裡。

前三本故事，有青銅器、有書法，有圖畫。

最後一本呢？

我決定寫敦煌。

還記得西元 1900 年嗎？那一年，老佛爺逃離北京城，就是在那一年，道士王圓籙遇見了外國來的斯坦因，他把無意間發現的萬卷經文，幾乎大半賣給了斯坦因。

而現在的敦煌極力的保護這片佛窟，限制遊客一天只能觀看幾座洞窟。

這片歷經千年不斷開鑿、雕塑、描繪的佛教聖地，在 1900 年卻被黃沙半掩——若不是王道士，沒人會注意敦煌；若不是王道士，經文不會被賣到海外。

然而若能回到了一千年前的敦煌呢？可能小學的孩子又會遇到什麼事情？

這幾個景點我都曾到訪。

每次去旅行前我會先讀書，不想當個只聽導遊講解的遊客，自己是要先做功課的。因為做過功課，到了當地那種感受是完全不同的，走在敦煌莫高窟的每一步，彷彿都會有個畫師、塑匠隨時跳出來，走進洞子裡，看著滿窟、滿洞子的創作，會有滿滿的感動。

回到家，我會再把書細讀，這回再看書，又是不同的體會，因為它們已經進入我的心裡，和我的生命產生了連結。

讀萬卷書不如行萬里路，若能讀書加行旅，我們的生命就更有縱度與廣度。

這套可能小學，適合給孩子做社會科的延伸，適合給孩子做進故宮前的準備。

因為，當孩子讀完它之後，毛公鼎就不只是個呆呆的鼎，而翠玉白菜也不會只是一顆不能吃的大白菜了。

它已經成為孩子生命裡的一段連結，再也分不開了。

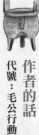

推薦文

從故宮文物出發的素養穿越之旅

◎彰化縣二林鎮原斗國民小學教師　林怡辰

金鼎獎作家王文華老師炙手可熱的可能小學系列，一直是教學現場大力推薦的書籍，在演講分享，也常推薦給老師們，不管是「可能小學的歷史任務」、「可能小學的愛地球任務」、「可能小學的愛臺灣任務」、「可能小學的西洋文明任務」，透過什麼事情都可以發生的可能小學裡的學生主角，孩子很容易輕易的跟著人物去身歷其境的探險，自然而然吸收情境裡的脈絡、熟悉朝代、歷史典故，甚至有了情感。

閱讀過的孩子經常回來分享，有趣，好讀，還能徜徉在歷史奇妙的故事中遊歷，不知不覺對於朝代、典故、脈絡，都耳熟能詳。而這次新推出的「可能小學的藝術國寶任務」，更叫我眼睛一亮。除了之前以歷史、臺灣等為主軸，這次更進一步，以故宮國寶為主題。從一件具有藝術、歷史和文化的國寶為圓心，朝代和背景為半徑，不斷擴散發想，圓滿出了一個個充滿想像和創意的故事。

從挑選的故宮文物，也可以看見作者的用心。舉凡故宮的毛公鼎，介紹了春秋戰國、銅器時代；赫赫有名蘭亭序的美，後面的故事有多精彩？北京的韓熙載夜宴圖，小小一幅圖有說不盡的驚險和考究故事，比情報故事還有趣；敦煌莫高窟啊！如果在千年前，石窟裡又可以寫下什麼不同的故事？

於是，你可以在《代號：毛公行動》看到可能小學裡的機關王設下了密室逃脫活動，代號就叫做「毛公行動」，除了要完成點燃烽火等任務，最後還要找到毛公鼎才能順利完成，過程中，你必須知道毛公是誰？毛公鼎有什麼希罕？為什麼是故宮的重要國寶？它怎麼被發現？怎麼被保存？全部都在這集，來試看看你可不可以順利走出密室逃脫！

《決戰蘭亭密碼》則是孩子　跟著兩位可能小學的同學，到蘭亭修禊的現場去，讀讀魏晉時期名士風骨、跟著王羲之學寫字，想知道鵝和寫書法到底有什麼關係？為什麼王羲之的作品連皇帝唐太宗都想偷，到底有沒有偷成功？故事中更有許多與王羲之有關的典故故事，讓人不禁思考「坦腹東床」發生的當下究竟是怎麼一回事！

在《穿越夜宴謎城》中，那一幅張大千寧可不要一座王府也要買下的圖，到底有哪裡珍貴？為什麼畫這張圖的畫家在畫裡總是不開心？但這張畫竟然被偷了！國家機密在其中，快快成為小偵探，看看這幅充滿秘密的畫，到底是誰偷走了？又故事裡藏有什麼情報資料？

《259敦煌計畫》書名的259是指什麼？有沙漠裡的羅浮宮到底為什麼可以保存了十個朝代將近千年的藝術轉變，看看你是否可以破解書中的「壁畫密碼」中的手印奧秘，最後順利找到回來的線索？

除了知識、冒險、還有破解謎案、密室逃脫、偵探解謎，以孩子有興趣的內容，卻淺顯的說出歷史和背後的迷人故事，重要的是，文華老師在書寫的過程中大量的閱讀，親自造訪，被深深感動後，再對照書籍，熱情挹注在筆下，讓孩子藉由閱讀的時間，和這些文物、歷史、文化，產生化學變化。孩子熟悉、連結、驚喜，有了感動和共感，萌發了興趣和動機，探索和深究成了自然而然，思辨和好奇持續加溫後，歷史和文物不再只是背誦的過客，而是有溫度的支點，解鎖了知識碎裂，開啟了真正的素養之路。

★ 最嚴謹的審訂團隊：延請中興大學歷史系教授周樑楷、輔仁大學歷史系助理教授汪采燁審訂推薦，為孩子的知識學習把關，呈現專業的多元觀點。

★ 最具主題情境的版面設計：以情境式插圖為故事開場及點綴內文版面，讓孩子身入其境展開一場精采的紙上冒險。

★ 最豐富有趣的延伸單元：

- 「超時空翻譯機」：以「視窗」概念補充故事中的歷史知識，增強孩子的歷史實力
- 「絕對可能會客室」：邀請各文明的重要人物與主角對談，透露不為人知的歷史八卦頭條
- 「絕對可能任務」：由專業教師撰寫學習單，提供多元思考面向，提升孩子的邏輯思考能力

《決戰希臘奧運會》

鍋蓋老師把羅馬浴場搬進校園當成學生的水上樂園，卻發現水停了。劉星雨和花至蘭被指派到控制室檢查水管管線，一陣電流竄過身體，他們發現自己來到古羅馬浴場！他們被迫參加古羅馬競技賽，這下該如何安然躲過猛獸的攻擊呢？

《亞述空中花園奇遇記》

鍋蓋老師執導的古文明舞台劇「兩河流域：肥沃月灣」在水塔劇場公演。劉星雨上台表演前在布幕後睡著了。醒來時，發現置身於一個奇妙的空中花園，還遇到亞述國王正在獵第三百頭雄獅。戰火不斷的亞述帝國還有更多奇遇……

《勇闖羅馬競技場》

為了奪得運動會冠軍，劉星雨與花至蘭出發尋找尋寶單上的五個希臘大鬍子男人：才剛通過夜行館的門，兩人卻發現廣場上有正在被老婆罵的蘇格拉底！雖然順利完成任務，卻也被當作斯巴達的奸細，遭到雅典人的追捕……

《埃及金字塔遠征記》

花至蘭和劉星雨拿著闖關卡，準備參加埃及文化週總驗收。才剛踏出禮堂，兩人立刻被埃及士兵綁架，準備獻給尼羅河神。劉星雨還被埃及祭司認定是失蹤多年的埃及小王子！這下該證明自己的身分，回到可能小學呢？

全系列共 4 冊，原價 1120 元，套書特價 840 元。

可能小學的西洋文明任務

結合超時空任務冒險 ╳ 歷史社會學科知識，放眼國際，爲你揭開西洋古文明的神祕面紗！

「什麼都有可能」的可能小學開課囉！
社會科鍋蓋老師點子多，愛辦活動，
這次他訂的主題是「西洋古文明」——
學校禮堂是古埃及傳送門，尼羅河水正在氾濫中；
在水塔劇場演舞台劇，布幕一換，來到了烽火連天的亞述帝國！
動物園的運動會正在進行，跑著跑著，古希臘奧運會就在眼前要開始了；
老師把羅馬浴場搬進學校，沒想到，眞實的古羅馬競技卻悄悄上演……

系列特色

★ 最有「哏」的校園冒險故事：結合快閃冒險 X 時空穿越 X 闖關尋寶，穿越時空回到西方古文明，跟著神祕人物完成闖關任務！

★ 最給力的世界史入門讀物：補充國小階段世界史知識的不足，幫助學生掌握西洋古文明的發展脈絡及重點，累積國中歷史科學習的先備知識。

可能小學的藝術國寶任務：

代號：毛公行動

作　　者｜王文華
繪　　者｜25 度

責任編輯｜楊琇珊
美術設計｜也是文創有限公司
行銷企劃｜葉怡伶

發行人｜殷允芃
創辦人兼執行長｜何琦瑜
副總經理｜林彥傑
總監｜林欣靜
版權專員｜何晨瑋、黃微真

出版者｜親子天下股份有限公司
地址｜台北市 104 建國北路一段 96 號 4 樓
電話｜（02）2509-2800　傳真｜（02）2509-2462
網址｜ www.parenting.com.tw
讀者服務專線｜（02）2662-0332　週一～週五：09:00~17:30
讀者服務傳真｜（02）2662-6048
客服信箱｜ bill@cw.com.tw
法律顧問｜台英國際商務法律事務所 ・ 羅明通律師
製版印刷｜中原造像股份有限公司
總經銷｜大和圖書有限公司　電話（02）8990-2588

出版日期｜ 2019 年 7 月第一版第一次印行
2021 年 3 月第一版第四次印行
定　　價｜ 280 元
書　　號｜ BKKCE025P
ISBN ｜ 978-957-503-444-3(平裝)

國家圖書館出版品預行編目資料

代號：毛公行動 / 王文華文；25 度圖 . -- 第一版 . --
臺北市：親子天下 , 2019.07
176 面；17 X 22 公分
ISBN 978-957-503-444-3 (平裝)

863.59　　108009446

圖片出處：
p55 by weiguan, Pixabay.com
p79（上）御筆詩經圖：國立故宮博物院
p79（下）by Creator: MaHezhiCreator:Emperor Gaozong, via Wikimedia Commons
p95（右）西周疆土、東周疆土 by Yeu Ninje, via Wikimedia Commons
p95（左）周武王 by Unknown, via Wikimedia Commons
p103 周公像 by Wang Qi, via Wikimedia Commons
p123 毛公鼎：國立故宮博物院 / 中 -銅 -000651-N000000000
p123 商後期子爵：國立故宮博物院 / 中 -銅 -000144-N000000000
p123 西周晚期散盤：國立故宮博物院 / 故 -銅 -002376-N000000000